D1648328

Francisco J. Uriz
Birgit Harling

EMC Publishing

About *En España*

As the name suggests, *En España* offers students a lively and colorful picture of Spain's culture, language and people. However, in addition to Spain, the book also contains a section of Latin American countries and cultures.

En España covers the key topics of Spain's past and present – the country's geography, history, economy, everyday life, topical trends and traditional customs. The language level of the text has been carefully controlled to allow students with limited reading skills to benefit from authentic reading passages. A Spanish-English glossary provides the meaning of difficult-to-understand words.

Two types of exercises follow many of the passages. Students will be able to do the activities that are marked with a ♦ symbol by reviewing the content of the *En España* readings, pictures and illustrations. Activities that are marked with a ♠ symbol offer students an opportunity for personal self-expression or pair and group discussion.

Finally, *En España* contains an exercise section providing an assortment of writing and listening comprehension activities that reinforce the cultural readings in the book and give students additional language practice. The listening portion of these activities has been recorded and is available on an accompanying audiocassette.

Editor Picot Cassidy
Designer Wendi Watson
Illustrators Alan Suttie, Cedric Knight
Cartoons Steve Garner, Peter Mugglestone

Photographs
Cover photo: Spectrum Colour Library.
A.G.E. Fotostock 14, 17, 36; Agencia EFE 7 (2), 23, 33, 49, 57; Andes Press Agency/Carlos Reyes 71; Associated Press 25, 70, 71; A-Z Botanical Collection 7; Barcelona Patronat de Turisme/FRIS 15, Barcelona Patronat de Turisme/F. Ontañon 15; Bodleian Library 72; Cambio 16 (Reproduction of *Numancia*/Alejo Vera y Estaca authorized by Diputación Provincial de Soria) 18, 25, 26, 29, 37, 71; P. Cassidy 16, 19, 27, 64, 99; CBS London (courtesy of Park Corp., Miami) 59; Chancerel 5 (2), 19, 47, 38, 82, 86 (2); J. Chipps 30, 60; CODELCO-Chile 69; Comisión de las Comunidades Europeas 27; D. Conway 59; Das Photo/D. Simson 4 (2), 5, 8, 11 (2), 13, 15, 28 (2), 29, 30, 31, 32, 36, 38 41 (2), 43, 44, 45 (2), 36, 48 (2), 50 (2), 51, 59, 60, 61, 63 (3), 64, 65, 68, 69, 70, 72, 73 (2), 87, 91, 99 (2); El Corte Inglés 88, 89; El País 47; Emiliano Piedra 35; Estación de esquí de Sierra Nevada 38, 39; S. Fraser 62; Fred Olsen Travel 38; Gibraltar Information Bureau 7; Guild Films 20; J. Allan Cash 12; Iberia 76; Institut Turistic Valencia (ITVA) 16; R. Lapuente 40, 41, 42 (3), 43 (2), 46; Manifesto Film Sales 35; Mansell Collection 23, 56, 65 (2), 66 68; Marlborough Gallery Inc. 73; Mary Evans 20, 67 (2); Ministerio Mexicano de Turismo 73; Museo del Prado 21 (2), 22 (2), 54; Museo Nacional Centro de Arte Reina Sofía © DACS 1993 (*Guernica 1937*/Pablo Picasso) 24; Museu Picasso, Barcelona © DACS 1993 (*Homenaje a Velázquez – Las Meninas*/Pablo Picasso) 55; Museum of Modern Art, New York (*La Persistencia de la memoria*/Salvador Dalí) 55; National Gallery 54; Observer Magazine 44; Oficina de Información del Metro, Madrid 78; Oficina Nacional Española de Turismo 6, 7, 10 (3), 11 (3), 12 (3), 13 (2), 14 (2), 15, 16, 17, 18, 19 (2), 37, 38, 39, 44, 45, 46, 50 (2), 51, 52 (4), 53 (2), 58; Penguin Books Ltd. 73; Photo Source 24; A. Plaza Plaza 80, 85; Radio Nacional de España 34; Radiotelevisión Española (RTVE) 35; RCA/Red Seal BMG Classics 58; RENFE-GIRE (MAN) 61; SEAT 36; Secretaría General de Turismo 95; Senado (Patrimonio del Senado La rendición de Granada de Pradilla) 20; Gil Sing 58; Sociedad Española de Radiodifusión (SER), S.A. 34; Sono Disc 74; South American Pictures 62, 72, 74 (2); Spanish Promotion Center 18, 37, 45; Sporting Pictures 49, 60; Universidad de Salamanca 33; F. Uriz 15, 16, 25, 40 (2), 53 (2), 63, 64, 67, 72, 74, 74 (2); G. Watson 49; Wines from Spain Institute for Foreign Trade (ICEX-UK) 10; E. Woodbridge 42; ZEFA Picture Library (UK) Ltd. 10, 14, 17, 30, 53, 60, 61, 70.

Ever effort has been made to contact the copyright holders of all illustrations. The publishers apologize for any omissions and will be pleased to make the necessary arrangements at the first opportunity.

Acknowledgements of Eva Cárceles Poveda.

ISBN 0-8219-1050-7
Catalog No. 70299

PN 6 5 4 3 2 1 / 1995 1994 1993

Published by
EMC Publishing
300 York Avenue
Saint Paul, Minnesota 55101, USA

Printed in Italy

Índice de materias

¡Hablamos español!

El español en el mundo

En la actualidad, unos 330 millones de personas hablan español en el mundo. Es también idioma oficial en organismos internacionales como la ONU, la UNESCO y la CE.

El español será la primera lengua del mundo en el año 2010

El español, que es actualmente la segunda lengua más hablada en todo el mundo, con unos 330 millones de hispanohablantes (el inglés es la primera, con 400 millones), puede convertirse en la primera hacia el año 2010.

1 ¿Qué lengua es ahora la primera del mundo?
2 ¿Cuántas personas la hablan?
3 ¿Cuántas personas hablan español?
4 ¿Qué lengua puede ser la primera del mundo en el año 2010?

¿Sabías que hay en el mundo más de seis millones de personas que estudian español ?

En Estados Unidos hay más de veinte millones de personas que hablan español. En Miami el 65 por ciento de la población es de origen hispano.

En Nueva York (arriba) es muy corriente ver anuncios en castellano, sobre todo en el metro, y hay barrios de inmigrantes en los que se oye hablar más español que inglés.

En los últimos años se han incorporado al español muchas palabras inglesas: fútbol, béisbol, eslogan, estándar, jersey, récord, pulóver.

Se habla español

El español, idioma oficial de España, es el nombre que se da al castellano, una de las lenguas románicas derivadas del latín que trajeron los conquistadores romanos. En España se hablan otras lenguas románicas: el catalán y el gallego. El catalán, que tiene un cierto parecido con el francés, lo hablan siete millones de personas que viven en la costa mediterránea y en las Baleares. El gallego, parecido al portugués, lo hablan tres millones de personas en Galicia, en el noroeste de España.

En el País Vasco, unas 600.000 personas hablan vascuence o *euskera*, una lengua que no procede del latín y que es una de las más antiguas de Europa.

La Constitución española de 1978 dice que el catalán, el gallego y el vascuence son, junto con el español, lenguas oficiales en sus respectivas comunidades autónomas: Cataluña, Galicia y País Vasco.

Mapa lingüístico de España

¿Qué es el español?

◀ *El castellano fue, primero, el idioma de Castilla – de ahí su nombre – y luego fue el idioma más difundido de España.*

No quedan en el español muchos restos de los idiomas hablados antes de la conquista romana, pero sí del árabe, que en los ocho siglos de presencia en la península dejó su huella en el vocabulario del español.

Los primeros textos literarios en castellano son del siglo XI. Y la primera gramática de 1492, año del descubrimiento de América. Los conquistadores trajeron de las colonias americanas oro y plata, y también palabras que enriquecieron el español. Las palabras tomate, huracán y hamaca son de origen amerindio. Más tarde, el francés influyó mucho en la ampliación del vocabulario español.

Muchos nombres geográficos vienen del árabe. La palabra árabe wadi, *que significa río, se encuentra en nombres de ríos como Guadiana o Guadalquivir. La palabra árabe* medina, *que significa pueblo, se emplea en muchos nombres geográficos.* ▶

◆ De esta lista de palabras ¿cuáles son de origen amerindio? ¿De origen árabe? ¿Cuáles vienen del inglés?

– tomate
– fútbol
– Guadalquivir
– eslogan
– hamaca
– jersey
– Medina
– huracán
– récord
– rock

La geografía

Ficha geográfica

Nombre oficial: Reino de España

Capital: Madrid

Superficie: 504.782 km^2

Población: 39 millones de habitantes

Densidad de población: 77 habitantes por km^2

Población activa: 15.125.100

Renta anual per cápita: 1.244.482 pesetas (1991)

Religión: el 94 por ciento es católico

Moneda: Peseta

Idioma: español. También son oficiales el catalán, el vasco y el gallego en las respectivas comunidades

Mar Cantábrico
FRANCIA
Cordillera Cantábrica
Pirineos
Ebro
Duero
Sierra de Guadarrama
Montes Ibéricos
Sierra de Gredos
La Meseta
Tajo
Guadiana
PORTUGAL
Sierra Morena
Islas Baleares
Guadalquivir
Sierra Nevada
Mar Mediterráneo
Océano Atlántico
Estrecho de Gibraltar
Islas Canarias

España está situada en el sur de Europa. En el mapa puedes ver que tiene frontera con dos países: Francia y Portugal, y que está entre el océano Atlántico y el mar Mediterráneo. El estrecho de Gibraltar separa a España de África.

Como ves, España es un país muy montañoso – después de Suiza es el más montañoso de Europa. En el centro del país está situada la Meseta, una llanura que tiene entre 600 y 1.000 metros de altura sobre el nivel del mar. También ves que tiene ríos muy largos; cuatro de ellos desembocan en el océano Atlántico y uno, el Ebro, en el mar Mediterráneo.

Como España está rodeada de mares tiene muchas costas, más de 3.000 kilómetros, y en ellas hay miles de playas.

En el mar Mediterráneo está el archipiélago de las Baleares, al que pertenece Mallorca, y en el océano Atlántico, a más de mil kilómetros de España y a cien de la costa africana, están las islas Canarias.

El pico más alto de España es el Teide. Es un volcán de 3.718 metros que está en la isla de Tenerife, una de las Canarias. El pico más alto de la península es el Mulhacén, que está en Sierra Nevada.

♦ Relaciona cada nombre con su descripción geográfica.

1 El Mediterráneo
2 Tenerife
3 El Ebro
4 El Teide
5 Los Pirineos
6 La Meseta

a . . . es una sierra.
b . . . es un río.
c . . . es un volcán.
d . . . es una isla.
e . . . es una llanura.
f . . . es un mar.

La Península Ibérica

España ocupa cinco sextas partes – el 80 por ciento – de la Península Ibérica. El resto lo ocupan Portugal y un minúsculo territorio: el principado de Andorra, que está en los Pirineos, entre España y Francia. Andorra es un pequeño país independiente que vive del turismo y del comercio.

En el sur está el Peñón de Gibraltar, colonia inglesa desde 1713. En África, España tiene dos ciudades, Ceuta y Melilla. Están en el territorio del reino de Marruecos, lo que provoca fricciones diplomáticas.

El Peñón de Gibraltar

Los habitantes

España tiene casi 40 millones de habitantes. En la actualidad la mayor parte de ellos – más del 70 por ciento – vive en ciudades y hay muchos pueblos abandonados.

Es difícil describir el tipo humano español. Lo más importante es señalar la variedad. En el sur, con mayor influencia árabe, son espontáneos y alegres; los del norte parecen más serios. Los vascos constituyen un pueblo diferente. Entre los gallegos hay, por influencia celta, bastantes con pelo rubio y ojos azules.

Isabel Tocino, diputada del Partido Popular.

Felipe, Príncipe de Asturias, hijo del rey Juan Carlos.

El clima

Al norte del país se le llama la España húmeda o verde. Llueve bastante y hay grandes bosques y prados. Es un paisaje verde.

El resto, que es la mayor parte, se llama la España seca y tiene dos climas: el continental y el mediterráneo.

El continental, en la Meseta, tiene inviernos fríos y veranos muy calurosos. Se dice del año en la Meseta: nueve meses de invierno y tres de infierno.

El mediterráneo, en la costa del este y del sur, es suave en invierno y caluroso en verano.

El mapa autonómico

La Constitución de 1978 dice que España, "patria común e indivisible de todos los españoles", está formada por 17 comunidades autónomas.

Estas comunidades autónomas, que casi coinciden con las antiguas regiones históricas, tienen su propio gobierno y parlamento y poder para administrar libremente diferentes áreas.

No todas las comunidades autónomas tienen el mismo poder para gobernarse. Según la Constitución, Cataluña y Euskadi, por ejemplo, tienen más competencias que Extremadura o Murcia; es decir pueden administrar más asuntos sin injerencias del Gobierno central. Evidentemente, el Gobierno central tiene competencias exclusivas, por ejemplo, en defensa nacional y política exterior.

La bandera española

Santiago de Compostela

GALICIA

PORTUGAL

Andalucía
Habitantes: 6,79 millones
Superficie: 87.268 km^2
Capital: Sevilla

Aragón
Habitantes: 1,8 millones
Superficie: 47.669 km^2
Capital: Zaragoza

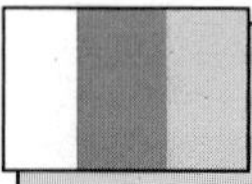

Canarias
Habitantes: 1,46 millones
Superficie: 7.273 km^2
Capital: Santa Cruz de Tenerife/Las Palmas de Gran Canaria

Cantabria
Habitantes: 0.52 millones
Superficie: 5.289 km^2
Capital: Santander

Castilla-La Mancha
Habitantes: 1.67 millones
Superficie: 79.226 km^2
Capital: Toledo

Castilla y León
Habitantes: 2,58 millones
Superficie: 94.147 km^2
Capital: Valladolid

Cataluña
Habitantes: 5,97 millones
Superficie: 31.930 km^2
Capital: Barcelona

Comunidad de Madrid
Habitantes: 4,78 millones
Superficie: 7.995 km^2
Capital: Madrid

Comunidad foral de Navarra
Habitantes: 0,51 millones
Superficie: 10.421 km^2
Capital: Pamplona

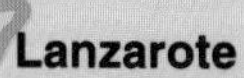

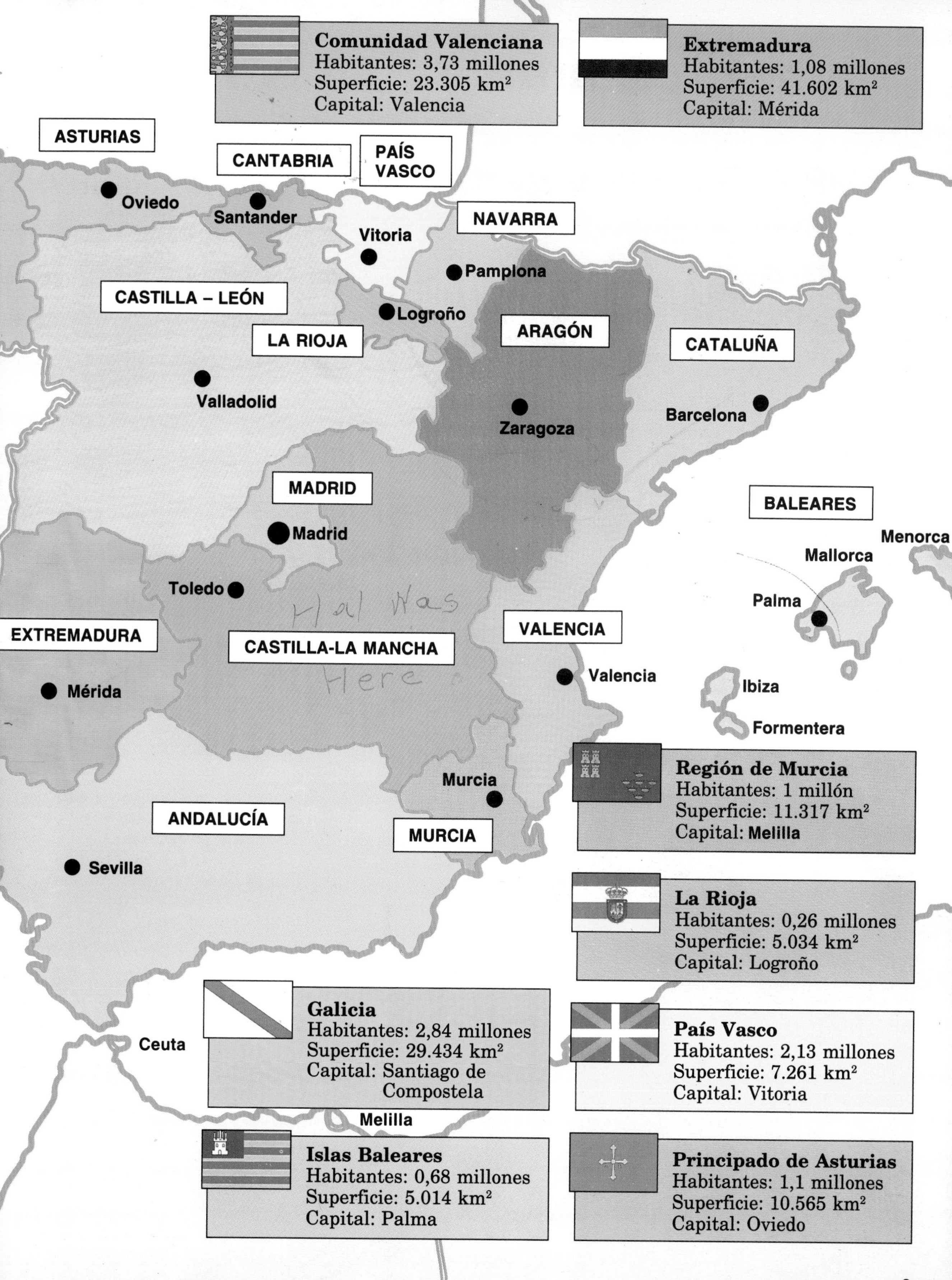

Comunidad Valenciana
Habitantes: 3,73 millones
Superficie: 23.305 km²
Capital: Valencia
Extremadura
Habitantes: 1,08 millones
Superficie: 41.602 km²
Capital: Mérida
ASTURIAS
CANTABRIA
PAÍS VASCO
Oviedo
Santander
NAVARRA
Vitoria
Pamplona
CASTILLA – LEÓN
Logroño
LA RIOJA
ARAGÓN
CATALUÑA
Valladolid
Zaragoza
Barcelona
MADRID
BALEARES
Madrid
Menorca
Mallorca
Toledo
Palma
EXTREMADURA
VALENCIA
CASTILLA-LA MANCHA
Mérida
Valencia
Ibiza
Formentera
Región de Murcia
Habitantes: 1 millón
Superficie: 11.317 km²
Capital: Melilla
Murcia
ANDALUCÍA
MURCIA
Sevilla
La Rioja
Habitantes: 0,26 millones
Superficie: 5.034 km²
Capital: Logroño
Galicia
Habitantes: 2,84 millones
Superficie: 29.434 km²
Capital: Santiago de Compostela
Ceuta
País Vasco
Habitantes: 2,13 millones
Superficie: 7.261 km²
Capital: Vitoria
Melilla
Islas Baleares
Habitantes: 0,68 millones
Superficie: 5.014 km²
Capital: Palma
Principado de Asturias
Habitantes: 1,1 millones
Superficie: 10.565 km²
Capital: Oviedo

Comunidades autónomas I

El norte

Galicia

Galicia es la región más lluviosa de España y por eso tiene grandes bosques y buenos pastos. Las rías, que son como pequeños fiordos, son su paisaje más característico.

El sector más importante de su economía es la pesca y la industria de conservas de pescado. También tienen importancia la ganadería, la industria automovilística, los astilleros y la minería.

De esta región han salido muchos emigrantes hacia América Latina, tantos que en algunos países como Argentina y Cuba llaman gallegos a todos los españoles.

Su capital, Santiago de Compostela, final del famoso camino de Santiago, es una de las ciudades más hermosas de España.

Asturias

Asturias es el antiguo reino cristiano donde en el año 722 se inició la Reconquista de la península invadida por los árabes. Es una región montañosa.

La ganadería y la minería son las riquezas de la región. Se cultivan manzanas de las que se obtiene la bebida regional, la sidra. Oviedo es la capital y Gijón es uno de los puertos más importantes del mar Cantábrico.

Un pueblo en Asturias.

Cantabria

Cantabria es también una región montañosa. Vive de la minería, la ganadería y el turismo. Su capital, Santander, es una hermosa ciudad de veraneo en la que se celebran los cursos de verano más famosos de España.

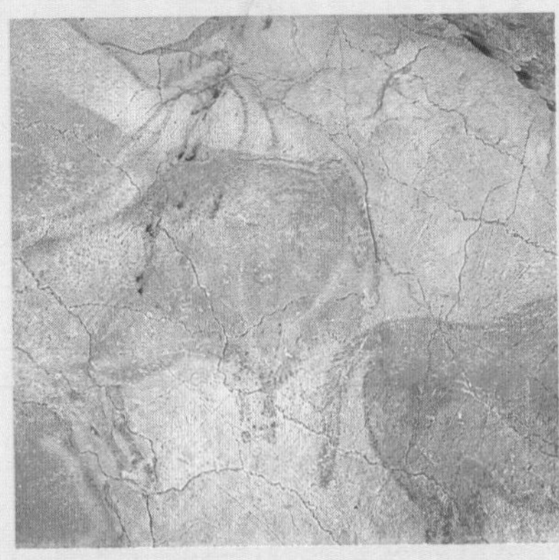

En las cuevas de Altamira hay pinturas rupestres que tienen entre 13.000 y 25.000 años.

País Vasco

También el País Vasco tiene un paisaje verde y montañoso, donde abundan los caseríos, pequeñas explotaciones agrícolas y ganaderas. La pesca tiene gran importancia. Bilbao era hace unos años la zona más industrializada de España.

Los vascos viven a ambos lados de los Pirineos y se consideran diferentes de sus vecinos.

La capital, Vitoria, según las encuestas, es la ciudad española de más alta calidad de vida.

La Rioja

La Rioja, una de las comunidades autónomas más pequeñas, es famosa por sus vinos y sus conservas vegetales. Su capital es Logroño.

En un monasterio riojano – San Millán – aparecieron los primeros textos escritos en lengua castellana.

La vendimia es, en La Rioja, un trabajo muy importante.

Navarra

Navarra, antiguo reino medieval, es una próspera región agrícola e industrial. Tiene dos zonas geográficas muy diferentes: los Pirineos, donde hay importantes explotaciones madereras y papeleras, y el valle o la ribera del Ebro, donde se producen cereales, frutas y verduras y vino. Su capital, Pamplona, es conocida en todo el mundo por sus fiestas.

El cultivo de cereales

Aragón

Aragón fue un importante reino en la Edad Media cuya unión con Castilla dio origen a España. El norte, donde los Pirineos son la frontera con Francia, tiene una zona de altas cumbres y magníficas pistas de esquí. En el centro está el valle del Ebro con sus llanuras cerealeras, espléndidas huertas y campos de frutales y, también, zonas casi desérticas.

Aragón es una región extensa y poco poblada. Más de la mitad de su población vive en la capital, Zaragoza, una de las ciudades más grandes de España.

Albarracín, una ciudad construida por los moros.

El centro

El castillo de los duques de Alburquerque en Castilla

La región histórica de Castilla – que ocupa casi la mitad de la superficie de España – está dividida administrativamente en tres comunidades autónomas: Castilla-León, Castilla-La Mancha y Madrid.

Castilla-León

Castilla-León es la comunidad más extensa y está en la zona más árida y alta de la Meseta. La vegetación es muy escasa, la típica de regiones áridas. Predominan los campos dedicados al cultivo del trigo. También hay, en verano, pastoreo de ovejas que pastan al sur en invierno.

Es una zona donde hay muchas ciudades históricas – Soria, Burgos, León, Salamanca, Segovia y la capital, Valladolid, – y en ella están la mayoría de los 1.400 castillos que hay en España.

Un pastor cuidando sus ovejas.

Madrid

Madrid, capital de España, y sus alrededores forman también una comunidad autónoma, en la que viven casi cinco millones de personas.

Dos ciudades importantes de esta comunidad son: Alcalá de Henares, donde nació Miguel de Cervantes, autor del *Quijote*, que fue una importante Universidad en el siglo XVI, y San Lorenzo del Escorial, donde Felipe II construyó su gran monasterio.

Castilla-La Mancha

En Castilla-La Mancha aún se pueden ver molinos como aquellos contra los que luchó el personaje más conocido de la literatura española, Don Quijote. Es una región seca, con veranos muy calurosos e inviernos fríos. Se cultivan cereales y se produce bastante vino.

Toledo, capital ahora de Castilla-La Mancha, fue primero capital de la España visigótica, luego de un reino musulmán y finalmente del imperio de Carlos I.

Molinos de viento

♦ **¿Verdadero o falso?**

1 Las pinturas de Altamira son menos antiguas que la universidad de Alcalá de Henares.
2 Más del 50 por ciento de la población de Aragón vive en la capital.
3 El clima de Galicia es seco.
4 León está situada en la Meseta.
5 Cantabria está en la costa del Mediterráneo.

Comunidades autónomas II

El levante

Cataluña

Cataluña, situada en el noreste de España, es la región más próspera del país. Su riqueza proviene de la industria y de la agricultura (frutas, vegetales y vino), pero, sobre todo, del trabajo de sus habitantes. Se dice que "Los catalanes, de las piedras sacan panes".

Los Pirineos y el Mediterráneo le han dado la posibilidad de convertirse en una de las zonas turísticas, tanto de invierno como de verano, más importantes de España. Barcelona, la capital, es una espléndida ciudad muy cosmopolita.

La Costa Brava

Comunidad Valenciana

La Comunidad Valenciana es conocida sobre todo por sus naranjas. La riqueza de su huerta – tomates, pimientos,

Trabajando en los arrozales. En esta región se cultiva arroz.

El sur

Andalucía

Andalucía es una de las regiones más extensas de España – casi el 20 por ciento – y la más poblada. Ocupa todo el sur del país. La cruza el río Guadalquivir – el antiguo *Betis* de los romanos. En Sierra Nevada, al sur de Andalucía, está el Mulhacén, el pico más alto de la península.

Los romanos llamaron a la región *Bética* y los árabes *Al-Andalus*, de donde viene el nombre actual, Andalucía. Su capital es Sevilla.

Es una región rica en minerales: mercurio, cobre, plomo. Produce casi todo el aceite de España y vinos singulares: Jerez y Málaga. Hoy en día su principal ingreso lo constituye el turismo de su famosa Costa del Sol.

Su paisaje se caracteriza por los inmensos olivares, extensos viñedos y casas blanqueadas.

Extremadura

Extremadura es una de las regiones más pobres, más desconocidas y más hermosas de España. Su economía se basa en la agricultura y la ganadería.

Cáceres es una ciudad bellísima con un centro histórico del Siglo de Oro muy bien conservado.

Es una región de gran emigración y patria de la mayoría de los conquistadores de América.

Su capital Mérida, la famosa Emerita Augusta *de los romanos, conserva un gran conjunto arqueológico de la época romana.*

melones – depende del magnífico sistema de riego creado por los romanos y mejorado por los árabes.

También tiene una gran importancia la industria de juguetes y calzado. Y sobre todo la automovilística. Hoy el turismo es una próspera industria en la costa de Alicante, sobre todo en Benidorm, "la playa de Madrid".

Murcia

Al sur de Valencia está Murcia, región donde se nota mucho la huella árabe. Es una zona agrícola, que produce frutas y vegetales y tiene una gran industria conservera. Alrededor del Mar Menor, un lago litoral, se ha desarrollado mucho el turismo.

La capital es la ciudad de Murcia. Cartagena (arriba) es un gran puerto y una ciudad industrial.

Las Baleares

Es un archipiélago formado por cinco islas y algunos islotes en el Mediterráneo. Su clima agradable y la belleza de su paisaje atraen a millones de turistas. La isla más grande es Mallorca, donde está la capital, Palma.

En Menorca hay huellas de la larga ocupación inglesa de la isla y de su capital, Mahón. De esta ciudad parece originaria la salsa mahonesa o mayonesa. Ibiza fue el lugar favorito del movimiento hippy.

Millones de turistas pasan todos los años sus vacaciones en las islas Baleares.

Las Canarias

El archipiélago de las islas Canarias, llamadas también Afortunadas, está a unos 1.500 kilómetros de España y a unos 100 de la costa africana. Está formado por siete islas y seis islotes.

El paisaje de las islas es muy variado, va desde el tropical al volcánico o al desértico. Su clima privilegiado las ha convertido en el lugar favorito del turismo invernal. En la isla de Tenerife está el pico más alto de España, el Teide.

También la agricultura tiene mucha importancia económica, sobre todo el plátano (arriba), el tomate y el tabaco.

Sorprendentemente, la comunidad autónoma de Canarias tiene dos capitales: en una, Las Palmas de Gran Canaria, está el Gobierno, y en la otra, Santa Cruz de Tenerife, el Parlamento.

Ceuta y Melilla

España tiene dos ciudades en territorio de Marruecos. Son Ceuta y Melilla.

Ceuta, ciudad de unos 75.000 habitantes, está en una pequeña península frente a Gibraltar. Melilla (80.000 habitantes) está frente a las costas de Málaga y pertenece a España desde los tiempos de los Reyes Católicos. Ambas tienen una población mayoritariamente española y basan su economía en la actividad de sus puertos.

♦ Lee las indicaciones y descubre de qué comunidad se trata.

1 Limita al norte con Francia.
El nombre de su capital empieza con B.
Es . . .

2 Limita con Valencia y Castilla-La Mancha.
La capital tiene el mismo nombre que la comunidad.
Es . . .

3 Están más cerca de África que de España.
Tienen dos capitales.
Son . . .

4 Limita al oeste con Portugal.
Es la comunidad autónoma más poblada de España.
Es . . .

♦ Escribe algo sobre cinco regiones de tu país. Practica con un/a compañero/a.

Madrid y...

Los casi cuatro millones de madrileños viven en la capital más alta de Europa, a 646 metros sobre el nivel del mar. En 1561, Felipe II convirtió la pequeña ciudad que era entonces Madrid en la capital del país.

Hoy día Madrid es una gran ciudad anárquica con calles comerciales, la Gran Vía o Serrano; grandes avenidas, el Paseo de la Castellana, y notables edificios, el de Correos, el Palacio Real o el Ayuntamiento, pero, sobre todo, Madrid es una ciudad de plazas.

En la Plaza de España se construyeron los primeros rascacielos de España y allí está el monumento a Cervantes. Cerca de la Plaza de Oriente está el Palacio Real, una de las muestras más notables de estilo neoclásico de la ciudad.

◀ *En la Puerta del Sol, que también es una plaza, hay un monumento que representa un oso y un madroño, elementos del escudo de la ciudad.*

Es el lugar más típico de Madrid y allí celebran miles de madrileños la llegada del Año Nuevo.

Madrid tiene espléndidos parques y jardines entre los que destacan la Casa de Campo – llamada "el pulmón de Madrid" – y El Retiro (arriba), el lugar de paseo favorito de los madrileños.

El centro del Madrid antiguo, llamado "el Madrid de los Austrias", es la Plaza Mayor. Es una espléndida plaza rectangular, edificada en el siglo XVII, cerrada y con porches en los cuatro lados.

Cerca del Retiro están los museos más importantes de Madrid: el Museo del Prado (derecha), el Museo Nacional Centro de Arte Reina Sofía, dedicado a la pintura contemporánea, y el Museo Thyssen, recién inaugurado.

El Museo del Prado es uno de los museos de pintura más famosos del mundo. El cuadro que se ve al fondo, Las lanzas, *lo pintó Velázquez.* ▶

...Barcelona

Barcelona, capital de Cataluña, es la segunda ciudad de España. Es una ciudad rica, industrial y comercial, con un puerto muy activo. Sus habitantes tienen el nivel de vida más alto de España.

La ciudad está situada entre dos montañas: El Tibidabo, donde hay un gran parque de atracciones, y Montjuich, donde, además del estadio olímpico y el Pueblo español, hay dos espléndidos museos: el de arte románico y el dedicado al pintor Joan Miró.

Los habitantes de Barcelona tienen playas en la ciudad o a pocos kilómetros.

Este cartel es un cuadro de Picasso, pintor malagueño que vivió nueve años en Barcelona antes de trasladarse a Francia. Picasso tiene en la ciudad un museo dedicado a su obra.

El monumento a Colón, es uno de los más conocidos de la ciudad. Está al final de las Ramblas, cerca del puerto. Casi al pie del monumento hay una reproducción de la Santa María, una de las carabelas con las que Colón llegó a América.

Las Ramblas son un paseo que va de la Plaza de Cataluña, centro de la moderna Barcelona, hasta el mar. En el medio, hay una zona peatonal con árboles y quioscos donde se venden pájaros, flores, libros. Es un lugar donde siempre hay gente.

La parte más antigua que se conserva es del siglo XIV. Se llama el barrio gótico y está junto a la catedral.

Grandes avenidas, como la Diagonal, cruzan la ciudad. El Paseo de Gracia (arriba) es una espléndida calle y la zona comercial más elegante de la ciudad.

♠ Discute con tus compañeros las ventajas e inconvenientes de vivir en la ciudad o en el campo.

- más trabajo
- problemas de transporte
- más diversión
- poca vida social
- polución
- estrés
- posibilidades de estudios
- insolidaridad entre los habitantes

Seis ciudades españolas

Valencia

Originalmente Valencia fue un puerto comercial griego. Después se vio ocupada por cartagineses, romanos y visigodos, y en el siglo XI fue capital de un reino moro.

Valencia es hoy, con sus 800.000 habitantes, la tercera ciudad española. Su puerto, El Grao, es uno de los más importantes del Mediterráneo.

Sus monumentos más notables son la Catedral con su torre campanario, el Miguelete, y la Lonja de la Seda, magnífico edificio de estilo gótico.

La riqueza de la ciudad se basó fundamentalmente en la gran cantidad de fruta y verdura que producía la Huerta, gracias al sistema de riego creado por los romanos y desarrollado por los árabes.

El Tribunal de las Aguas se reúne cada jueves en la puerta de los Apóstoles de la catedral de Valencia para solucionar los problemas provocados por la utilización del agua de riego.

Sevilla

El parque de María Luisa, donde aún se ven edificios de la Exposición Iberoamericana de 1928, es un magnífico lugar de esparcimiento para los sevillanos en los fines de semana.

Desde la época de los romanos, Sevilla ha sido una ciudad próspera. En la época árabe dependía del califato de Córdoba.

Durante los siglos XVII y XVIII vivió su época de oro: era puerto de entrada de los productos que venían de las Indias y tuvo el monopolio del comercio con las colonias. La Catedral de Sevilla, construida entre 1402 y 1506, es una de las más grandes del mundo. Su campanario, la torre de la Giralda, mide casi cien metros de altura. Fue el minarete de una antigua mezquita. Otro monumento, el Alcázar, fue una fortaleza árabe.

La Torre del Oro, antiguo bastión de las murallas almohades, se ubica en la orilla del Guadalquivir, el río que atraviesa la ciudad.

El barrio de Santa Cruz con sus calles estrechas, blancas casas con hermosos patios, ventanas enrejadas y balcones llenos de flores, es una zona apreciada por los visitantes.

Zaragoza

Zaragoza, ciudad de origen romano, es la capital de Aragón. El río Ebro pasa por el centro de la ciudad y a su orilla hay dos grandes iglesias: la basílica del Pilar y la hermosa catedral de La Seo (de estilos gótico y mudéjar). Entre ellas está el precioso edificio de La Lonja.

En una céntrica plaza está el monumento a los héroes de la resistencia aragonesa contra las tropas de Napoleón en la guerra de la Independencia (1808).

Un magnífico palacio árabe, la Aljafería, es testimonio del esplendor del reino moro independiente de Zaragoza. También hay en la ciudad numerosas iglesias de estilo mudéjar.

En la basílica del Pilar está la Virgen del Pilar, patrona de la ciudad de Zaragoza.

Santiago de Compostela

La plaza del Obradoiro es una de las joyas arquitectónicas de España. Al norte de la plaza está el Hospital Real de estilo plateresco, y al este, la catedral (arriba) de estilo barroco. Al oeste está el palacio de Rajoy de estilo neoclásico y al sur el colegio de San Jerónimo de estilo románico.

Fundada en el lugar donde se encontró el sepulcro del apóstol Santiago, la ciudad fue, por ello, durante la Edad Media, un lugar de peregrinación para los católicos tan importante como Roma.

Santiago es una de las ciudades monumentales más hermosas de España. En la plaza del Obradoiro se encuentran la catedral románica con su admirado Pórtico de la Gloria y su fabulosa fachada barroca y el Hospital de los Reyes Católicos, con su maravillosa fachada plateresca. El antiguo Hospital es hoy uno de los mejores paradores del país.

Una de las primeras universidades españolas se fundó en Santiago y en sus calles aún se vive el ambiente universitario.

San Sebastián

A finales del siglo XIX San Sebastián fue una de las ciudades de veraneo tradicional de la familia real, de la aristocracia y la alta burguesía. Está situada en una de las bahías más hermosas del mundo. Un precioso paseo recorre toda la playa de la Concha.

El puerto de San Sebastián fue muy importante hace unos siglos. Junto a él está la parte vieja, caracterizada por sus calles estrechas, llenas de bares y restaurantes que son famosos en todo el país.

En septiembre se celebran en la bahía de la Concha unas regatas de traineras, barcas de remos, que apasionan a un pueblo de marinos y pescadores.

San Sebastián es también sede del Festival de cine más importante de España.

En medio de la espléndida bahía de la Concha, en San Sebastian, está la isla de Santa Clara.

Toledo

La sinagoga de Santa María la Blanca es una de las más hermosas del mundo.

Una de las ciudades españolas más antiguas, fue construida sobre el río Tajo. Fue capital de los visigodos, de un reino musulmán y de España hasta que fue sustituida por Madrid en el siglo XVI.

Su extraordinaria riqueza monumental es el resultado de la convivencia de tres culturas: judía, musulmana y cristiana.

En esta ciudad vivió el artista El Greco y aún puede verse su casa convertida en museo.

Toledo fue famoso por la calidad de sus aceros y espadas.

- ♠ ¿Has visitado alguna de las ciudades de estas páginas? ¿Cuáles son tus impresiones?
- ♠ ¿Conoces otras ciudades de España? ¿Cómo se llaman? ¿En qué parte del país están – norte o sur? ¿Y en qué comunidad autónoma están?

Los orígenes de España

Iberia

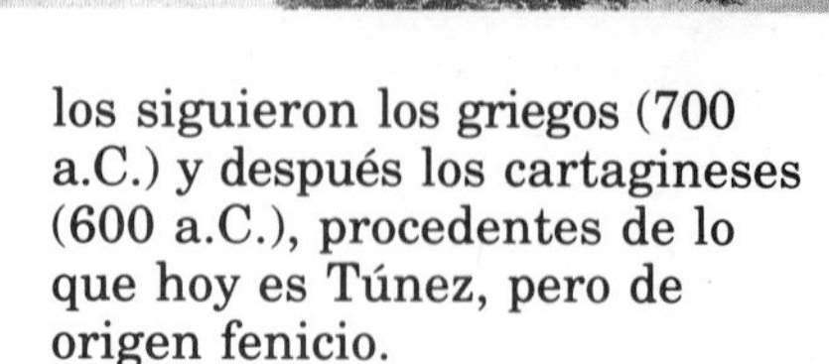

Estas extrañas figuras de animales llevan cerca de Ávila miles de años. Conocidos como los toros de Guisando, quizá sean de origen celta y pudieron servir como altar de sacrificios.

Sabemos muy poco de los iberos, los primeros habitantes de lo que hoy es España, que llegaron hacia el año 1000 a.C. De ellos viene el nombre de la Península Ibérica. Siglos más tarde, unos 500 años a.C., llegaron por el norte los celtas, un pueblo que sabía trabajar el hierro. La unión de ambos produjo un nuevo pueblo: los celtíberos.

Hacia el año 1100 a.C. los fenicios, comerciantes procedentes de lo que hoy es el Líbano, habían fundado puertos en las costas del Mediterráneo. Barcelona, Valencia y Cádiz datan de aquellos tiempos. A los fenicios los siguieron los griegos (700 a.C.) y después los cartagineses (600 a.C.), procedentes de lo que hoy es Túnez, pero de origen fenicio.

Los cartagineses eran los grandes rivales de los romanos. Su ataque y destrucción de Sagunto, ciudad aliada de Roma, en el año 219 a.C., fue el motivo de la intervención romana que acabó con la presencia cartaginesa en la península.

◀ *Los fenicios y los griegos trajeron el dinero, un alfabeto y su cerámica a Iberia. También trajeron el olivo y la vid, dos de los cultivos más conocidos de la España de hoy.*

Hispania

Los romanos esperaban colonizar pronto la península Ibérica pero la resistencia de los celtíberos hizo que tardasen casi dos siglos. Fue, pues, uno de los primeros territorios que Roma trató de conquistar y el último en pacificar.

La derrota de cántabros y astures, en el norte, puso fin a la conquista romana en el año 19 a.C. y convirtió a *Hispania* en una de las provincias más ricas e importantes del imperio.

Los conquistadores trajeron sus leyes y su idioma, el latín. Fundaron nuevas ciudades, entre ellas Mérida, Zaragoza y Tarragona. Construyeron las calzadas – sobre las que están hechas muchas de las modernas carreteras – y levantaron grandes construcciones.

Algunos de los emperadores romanos fueron de origen hispano, entre ellos, Trajano,

◀ *Numancia representa la heroica resistencia de los celtíberos a la conquista de Roma. Los 8.000 habitantes rechazaron los ataques de los romanos durante más de 20 años. Finalmente el gran general romano Escipión cercó la ciudad con 60.000 soldados y comenzó un largo asedio.*

Dieciséis meses más tarde, en el año 133 a.C., los numantinos, derrotados por el hambre y las enfermedades, antes de rendirse prefirieron quemar su ciudad y morir en las llamas.

Al-Andalus

En el año 711, cuando los conflictos dinásticos llevaron a los visigodos a la guerra civil, uno de sus jefes se dirigió a África en busca de ayuda.

Unos 12.000 guerreros árabes, bajo el mando de Tarik, cruzaron el estrecho de Gibraltar y derrotaron al último rey visigodo, Rodrigo.

Los árabes o moros ocuparon la península en unos siete años. *Al-Andalus*, como llamaron los árabes a su nuevo país, era parte del imperio árabe que llegaba del océano Atlántico hasta el océano Índico. Más tarde, bajo Abderramán I, se fundó un emirato independiente – después fue un califato – con la capital en Córdoba.

Los árabes eran de religión musulmana pero mostraron una gran tolerancia con judíos y cristianos. Córdoba se convirtió en una ciudad que asombró al mundo. La ciudad llegó a tener 700 mezquitas, 900 baños públicos y 70 bibliotecas.

Az-Zahra, el palacio del califa Abderramán III en Córdoba, era inmenso: tenía 400 habitaciones. Fue casi destruido en 1010, pero ahora se está restaurando.

Córdoba fue un centro cultural particularmente conocido en los campos de la medicina, la botánica, la filosofía, la astronomía y las matemáticas. Los moros introdujeron también nuevas industrias, como la fabricación de papel y de vidrio, y nuevos cultivos: arroz, algodón, caña de azúcar y plátanos.

A la muerte del gran general Almanzor (año 1002) el califato se dividió en pequeños reinos, llamados *taifas*. Después de 300 años de esplendor Córdoba perdió su importancia y Granada se convirtió en la ciudad más importante de *Al-Andalus*.

España fue el primer país de Europa en el que se jugó al ajedrez. Fueron los moros los que lo introdujeron en el siglo XI.

En el siglo XI Granada se convirtió en el centro de la España musulmana. En el palacio de la Alhambra, una de las maravillas del mundo, construido en el siglo XIV, abundan los estanques y fuentes. El agua era un elemento muy apreciado por un pueblo que venía del desierto.

Esta estatua representa a un héroe legendario que luchó contra los árabes y a favor de ellos: el Cid. Su nombre verdadero era Rodrigo Díaz de Vivar, pero los moros lo llamaban sidi, *es decir, señor en árabe, que se transformó en Cid en español.*

En 1094, tras un cerco de nueve meses, el Cid conquistó a los moros la ciudad de Valencia y la gobernó hasta su muerte.

El valor y las proezas militares del Cid se recogen en la primera obra de la literatura española, El Cantar de Mío Cid, *un poema épico del año 1140.*

Adriano y Marco Aurelio; y también lo fueron escritores como Séneca y Marcial.

A principios del s. V *Hispania*, lo mismo que el resto del Imperio Romano, no pudo contener el avance de los pueblos bárbaros. Una de las tribus, los visigodos, invadieron *Hispania* en el año 414 y acabaron con el dominio romano que había durado quinientos años.

♦ ¿De dónde vinieron?

1 Haz un mapa de los pueblos que vinieron a España entre el año 1000 y el año 200 a.C.

2 Escribe el nombre de cada pueblo, dibuja la ruta que siguieron y escribe la fecha de su llegada a España.

España – potencia mundial

La Reconquista

La Reconquista fue la liberación de España de la ocupación árabe. Empezó en el reino de Asturias, que no había sido conquistado, con la batalla de Covadonga, en el año 722. Debido a las diferencias entre los reinos cristianos que se estaban formando, la Reconquista duró más de 700 años.

Una de las batallas decisivas fue la de las Navas de Tolosa en la que el califa Mohammed en-Nasir fue derrotado en 1221 por los ejércitos de Castilla, Aragón y Navarra.

A finales del siglo XV los cristianos habían reconquistado toda la península excepto el reino de Granada y los dos reinos más poderosos, Aragón y Castilla, se habían unido.

Los Reyes Católicos reciben las llaves de la ciudad de Granada de manos del último rey moro, Boabdil. Con ello termina, en 1492, la Reconquista y se completa la unidad de España.

El reino de España

El Papa dio a Fernando de Aragón y a Isabel de Castilla el título de Reyes Católicos por ser los encargados de cristianizar el Nuevo Mundo. Con ellos terminó la tolerancia religiosa. Los musulmanes y los judíos fueron invitados a convertirse al cristianismo o a marcharse del país.

El temible Tribunal de la Inquisición perseguía a los sospechosos de herejía, los torturaba para sacar confesiones y los juzgaba con dureza. La muerte en la hoguera era un castigo corriente. También se quemaban los libros considerados heréticos.

Los Reyes Católicos establecieron la ley y el orden. Aplastaron el poder de los nobles y crearon un ejército dependiente de la corona.

Los Reyes Católicos – Fernando e Isabel

◀ *El año en que conquistaron Granada, los Reyes Católicos financiaron el viaje de Cristóbal Colón. Colón era un navegante genovés que estaba buscando ayuda para encontrar, cruzando el Océano Atlántico, una nueva ruta a la India, país de las especias.*

Colón no llegó a la India, pero en cambio descubrió un continente desconocido para los europeos que primero se llamó las Indias, luego el Nuevo Mundo y finalmente América.

El descubrimiento del Nuevo Mundo fue, en realidad, un encuentro entre dos culturas.

La casa de Austria

Juana, hija de Fernando e Isabel, se casó con Felipe, miembro de la familia real de los Habsburgos o, en español, de los Austrias. Su hijo Carlos fue, desde 1516, el emperador Carlos I de España y V de Alemania, lo que inició la dinastía de los Austrias. De su madre heredó España y las colonias de América y de su padre Alemania, Austria, los Países Bajos y parte de Italia.

No era fácil gobernar un imperio tan vasto. Los mayores problemas se los causaron las rebeliones autonomistas de los comuneros, en Castilla, y las germanías, en Levante.

Durante su reinado se conquistaron los territorios descubiertos en época de sus abuelos y empezaron a llegar el oro y la plata del Nuevo Mundo. Carlos I participó en numerosas guerras para defender o extender su imperio.

En 1556, tras 40 años de reinado, abdicó en favor de su hijo Felipe y se retiró, enfermo, al monasterio de Yuste donde murió dos años después.

Carlos I

Reyes y siglos

Para nombrarlos se usan los ordinales hasta el diez; a partir de diez, los cardinales. Así se lee:

Carlos I	primero
Isabel II	segunda
Felipe II	segundo
Carlos III	tercero
Carlos IV	cuarto
siglo V	quinto
Alfonso VI	sexto
Alfonso X	décimo
siglo XI	once
Alfonso XII	doce
siglo XVIII	dieciocho
siglo XX	veinte

Felipe II

Las partes española y flamenca del imperio de Carlos I las heredó Felipe II, un católico fanático que consideró la defensa del catolicismo como su misión más importante. Empleó el oro y la plata de América para pagar las guerras de religión contra protestantes y turcos.

Felipe II derrotó en 1571 a los turcos en la batalla naval de Lepanto, en Grecia. En 1588, fue derrotado por su gran enemigo, Inglaterra. Los 130 barcos de la Armada Invencible que llevaban 30.000 hombres fueron derrotados por los barcos ingleses y el mal tiempo. El fracaso de la expedición fue explicado así por el rey: "No mandé a mis hombres a luchar contra los elementos sino contra los hombres."

A su muerte, en 1598, el "imperio donde no se ponía el sol" estaba en bancarrota. Había empezado la decadencia.

En los últimos años de su vida, Felipe II vivió en el monasterio de San Lorenzo de El Escorial en unas habitaciones muy sencillas, unidas a la iglesia. Cuando estaba enfermo podía ver el altar desde la cama.

El rey mandó construir el monasterio, a unos 50 kilómetros de Madrid, en recuerdo de la batalla de San Quintín en la que España derrotó a Francia. Tuvo lugar un 10 de agosto, día de San Lorenzo.

Los últimos Austrias

Los reyes españoles del siglo XVII, Felipe III y Felipe IV, no pudieron impedir la decadencia. En sus reinados, España perdió Portugal, los Países Bajos y su posición de gran potencia.

La decadencia española fue la consecuencia de una larga crisis económica. El motivo fundamental fue que el oro que llegaba de América terminaba en manos de los banqueros europeos que financiaban las costosas guerras españolas. Los gobernantes expulsaron a árabes, moriscos y judíos, lo que contribuyó a empeorar la situación, y no transformaron la agricultura de latifundios que era muy improductiva. Tampoco hicieron nada por crear industrias ni fomentar la idea de que el trabajo es la base de la riqueza nacional.

Los últimos Austrias fueron personas débiles que dejaron el gobierno en manos de sus validos. En sus reinados abundaron las intrigas y la corrupción.

A finales del siglo XVII, el rey Carlos II murió sin sucesión y así acabó la dinastía española de los Austrias.

Los siglos XVIII y XIX

Una dinastía francesa

El siglo XVIII empieza con la guerra de Sucesión. Carlos II de España (1661-1700) nombró rey de España a Felipe de Anjou, un Borbón nieto del rey de Francia Luis XIV. Inglaterra, los Países Bajos, el Emperador de Austria, Portugal y la corona de Aragón, que sostenían al archiduque Carlos de Austria, se enfrentaron con Francia y el resto de España. Tras doce años de guerra el candidato de Francia fue reconocido rey de España, con el nombre de Felipe V, en el tratado de Utrecht (1713).

La nueva dinastía centralizó el país siguiendo el modelo francés y suprimió los privilegios y libertades de las regiones periféricas. Los Borbones trataron de sacar a España de la crisis económica y fomentaron la agricultura, la incipiente industria textil y la minería. El reinado de Carlos III fue el del despotismo ilustrado, una forma de gobernar, autoritariamente, en beneficio del pueblo aunque sin su participación política. Carlos III apoyó la investigación y la cultura.

En esos años se estableció un régimen económico más liberal que favoreció la aparición de una clase burguesa, pero la aristocracia y la Iglesia seguían controlando la riqueza del país. Millones de campesinos vivían en la pobreza.

El rey Felipe V fue el que inició la dinastía de los Borbones que sustituyó a la de los Austrias en el trono de España. El actual rey de España, Juan Carlos, es un Borbón.

La guerra de la Independencia

Carlos IV sucedió a su padre el año anterior a la revolución francesa, acontecimiento que complicó la política internacional.

En 1808, aprovechando la debilidad española, el emperador francés Napoleón Bonaparte invadió España obligando a Carlos IV y a su hijo Fernando VII a abdicar. El día 2 de mayo de 1808 el pueblo de Madrid se rebeló contra los franceses y comenzó la guerra de la Independencia. Napoleón colocó en el trono de España a su hermano José I, pero el pueblo español no lo consideró nunca como su rey.

Fue entonces cuando las colonias americanas empezaron su lucha, primero en favor de la vuelta de los Borbones a España y luego por su independencia propia.

Cuando todo el país estaba ocupado, los patriotas españoles se refugiaron en Cádiz y allí redactaron, en 1812, la primera Constitución española, la más liberal de toda la historia.

Finalmente, en 1814, el ejército hispano-inglés, las guerrillas y el desastre que había sufrido Napoleón en Rusia obligaron a retirarse a las tropas francesas.

El rey Fernando VII volvió al trono de España con el sobrenombre de el Deseado. Durante su funesto reinado se perdieron las colonias americanas, se abolió la Constitución de Cádiz y volvió el absolutismo. Los últimos años de su reinado – la “ominosa década” – fueron una confirmación constante de la derrota de los liberales en su conflicto con los conservadores.

◀ *Cuando el pueblo de Madrid se sublevó contra Napoleón, el pintor Francisco de Goya salió por las calles de Madrid con su cuaderno de apuntes. Después pintó las terribles escenas de los fusilamientos de cientos de civiles por los soldados franceses.*

Las guerras carlistas

Al morir Fernando VII, en 1833, comenzó la guerra carlista, otra larga guerra de sucesión. Los pretendientes al trono eran Carlos e Isabel, hermano e hija del rey respectivamente. Vencieron Isabel y sus partidarios, los liberales. Para esas fechas el imperio español era simplemente un recuerdo nostálgico.

El reinado de Isabel II fue una sucesión de intrigas palaciegas, motines, pronunciamientos y sediciones. Su ministro Mendizábal llevó a cabo la desamortización, es decir, puso en venta las tierras improductivas de la Iglesia, lo que provocó los ataques de los conservadores.

Las luchas entre conservadores y progresistas no acabaron ni cuando la reina se exilió a Francia en 1868.

Siguieron guerras, más pronunciamientos y conspiraciones, incluso se trató de solucionar la crisis con la llegada de un rey italiano o con la instauración de la república, lo que provocó una nueva guerra carlista (1872-76). Los liberales, en sus intentos de reformas, chocaban con los conservadores que, apoyados por la Iglesia, el ejército y la nobleza, luchaban por mantener el país como estaba.

En 1874, la restauración monárquica, en la persona de Alfonso XII, hijo de Isabel II, detuvo, en parte, el desorden y el país disfrutó de una cierta tranquilidad.

Isabel II ▶

Las últimas colonias

El siglo XX empieza bajo el signo del pesimismo por la pérdida, en 1898, de las últimas colonias, Cuba, Puerto Rico y Filipinas. Un vigoroso movimiento obrero, socialista y anarquista, surge en un país de enormes diferencias sociales. La riqueza de unos pocos contrasta con la pobreza de los obreros, con la miseria de los campesinos sin tierras y del gran número de parados.

En 1917 se organiza una gran huelga general. Si a esto unimos las reivindicaciones de ciertas regiones y los malos resultados de la larga guerra que España mantiene en Marruecos, tenemos las causas por las que el rey Alfonso XIII llamó al general Primo de Rivera para que frenase la anarquía y pusiese orden en el país.

Ni la monarquía ni la dictadura militar de Primo de Rivera, que duró hasta 1930, pudieron solucionar la profunda crisis económica, ni las tensiones sociales, agravadas por la crisis internacional.

Unas elecciones municipales, favorables a los republicanos y socialistas, movieron al rey a exiliarse. Y el 14 de abril de 1931 se proclamó la República que inició unas reformas – reforma agraria, del ejército, ley del divorcio, sufragio universal – con el fin de modernizar el país y solucionar la crisis. La reacción de los que pensaban que iban a verse perjudicados por las reformas provocó graves conflictos. En 1936, ganó las elecciones el Frente Popular, coalición de partidos de izquierda, contra el que unos meses más tarde, el 18 de julio, se produjo un levantamiento militar.

◀ *Pablo Iglesias, fundador del PSOE (Partido Socialista Obrero Español), pronunciando un discurso en la inauguración de la Casa del Pueblo en Madrid.*

Los tiempos modernos

La Guerra Civil

El 10 de julio de 1936 una gran parte del Ejército español, al mando de unos generales entre los que estaba Francisco Franco, se sublevó contra el Gobierno republicano.

La sublevación militar no tuvo un éxito instantáneo y se inició una guerra civil entre los que apoyaban al Gobierno legal, los republicanos, y los que lo atacaban, los rebeldes o fascistas. Se produjo una división parecida a la del siglo XIX.

Al gobierno republicano lo apoyaban los obreros – socialistas, anarquistas y comunistas – buena parte de las clases medias y muchos intelectuales, es decir, los progresistas y los liberales. A los sublevados, que se llamaban también los "nacionales", los apoyaban los latifundistas, la Iglesia – que llamó Cruzada a la guerra –, y los monárquicos, es decir, los conservadores.

El Ejército se dividió. Una pequeña parte permaneció leal a la república. El país quedó partido geográficamente en una zona republicana y otra sublevada.

La opinión mundial también estaba dividida. A los nacionales, bajo el mando del general Franco, los ayudó la Alemania de Hitler y la Italia de Mussolini. A la República la apoyó la Unión Soviética. Las grandes democracias occidentales crearon un pacto de no intervención y se mantuvieron neutrales. Miles de personas fueron voluntariamente a España y formaron las Brigadas Internacionales para luchar al lado de los republicanos.

La guerra duró tres años y causó casi quinientos mil muertos. Terminó con la derrota de la República y la instauración de la dictadura del general Francisco Franco.

◀ *Guernica, una pequeña ciudad del País Vasco, fue bombardeada por la aviación alemana durante la Guerra Civil. Pablo Picasso pintó, en su famoso cuadro* Guernica, *la destrucción y los sufrimientos de la población bombardeada.*

◀ *Una de las víctimas de la Guerra Civil fue el poeta Federico García Lorca (1898-1936). Otro poeta, Antonio Machado, que se exilió poco antes del final de la guerra y murió en Francia, describió así la muerte de Lorca.*

Se le vio, caminando entre fusiles,
por una calle larga,
salir al campo frío,
aún con estrellas, de la madrugada.
Mataron a Federico
cuando la luz asomaba.

El crimen fue en Granada
Antonio Machado (1875-1939)

Unas 400.000 personas huyeron al final de la guerra para evitar las represalias del régimen de Franco.

La dictadura

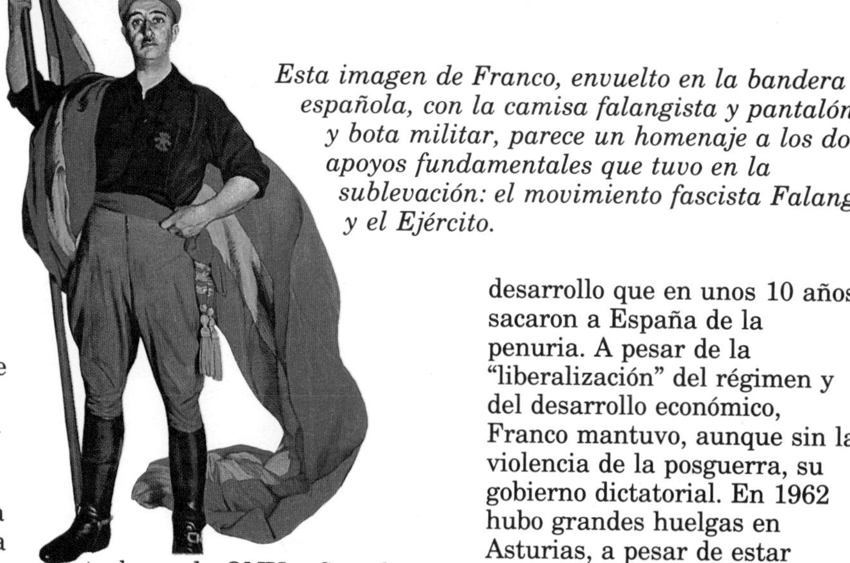

Esta imagen de Franco, envuelto en la bandera española, con la camisa falangista y pantalón y bota militar, parece un homenaje a los dos apoyos fundamentales que tuvo en la sublevación: el movimiento fascista Falange y el Ejército.

En España, que se mantuvo al margen de la Segunda Guerra Mundial, la posguerra fue un periodo difícil. Todas las libertades democráticas y los derechos políticos y sindicales fueron suprimidos. Miles de personas fueron ejecutadas o encarceladas. Fue un tiempo de partido único y de una policía muy dura, y también de penuria económica y racionamiento.

La caída de los regímenes fascistas – de Alemania e Italia – al final de la Segunda Guerra Mundial en 1945 y la condena del régimen español por las Naciones Unidas hizo pensar que la dictadura de Franco se acabaría pronto, pero no fue así. Pocos años después, en la década de los 50, España entraba en la ONU y firmaba un convenio de cooperación con Estados Unidos. Esto le dio cierta respetabilidad internacional al régimen de Franco.

En 1959 se inició un plan de estabilización y luego varios de desarrollo que en unos 10 años sacaron a España de la penuria. A pesar de la "liberalización" del régimen y del desarrollo económico, Franco mantuvo, aunque sin la violencia de la posguerra, su gobierno dictatorial. En 1962 hubo grandes huelgas en Asturias, a pesar de estar prohibidas. La oposición a la dictadura fue haciéndose más amplia. Para garantizar la continuidad de su obra, Franco eligió, en 1969, al nieto de Alfonso XIII como rey que lo sucedería cuando muriese.

La muerte de Franco y la transición

El general Franco murió el 20 de noviembre de 1975 y dos días después el rey Juan Carlos I juró fidelidad a los principios del Movimiento, base política de la dictadura, y comenzó a reinar con las mismas leyes y el mismo presidente de Gobierno que Franco.

La presión popular – que reivindicaba libertad, amnistía y estatuto de autonomía – se expresó en manifestaciones más o menos legales e hizo imposible el continuismo, pero no logró la ruptura total con el pasado. A pesar de que en las manifestaciones hubo muertos, la transición fue bastante pacífica.

Las primeras elecciones generales se celebraron en junio de 1977. Participaron numerosos partidos políticos incluido el comunista, legalizado dos meses antes. La victoria fue para UCD, un partido de centro, liberal, recién creado, y Adolfo Suárez, un ex-falangista, fue elegido presidente del Gobierno. Se redactó una constitución democrática que fue aprobada en referéndum en 1978.

◀*El 23 de febrero de 1981 hubo un intento de golpe militar. Guardias civiles armados al mando del coronel Tejero Molina ocuparon el Congreso de los Diputados. El golpe terminó en menos de 24 horas con la derrota de los golpistas. En aquel momento, como en toda la transición, la actitud del Rey fue decisiva.*

En 1982 se celebraron nuevas elecciones, y el triunfo socialista llevó a Felipe González a la presidencia del Gobierno. Para muchos ése fue el momento en que terminó la transición: la aceptación de un gobierno socialista. El año 1989 el PSOE ganaba por tercera vez consecutiva las elecciones.

El rey Juan Carlos I y la reina Sofía. Los reyes tienen tres hijos: Elena, Cristina y Felipe. Viven en el palacio de la Zarzuela, a las afueras de Madrid.

España de hoy

Ficha política

La Constitución aprobada en 1978 define a España como un Estado de Comunidades Autónomas.

España es una monarquía parlamentaria.

El presidente del Gobierno es propuesto por el Rey y elegido por el Parlamento.

El parlamento bicameral, las Cortes, está formado por el Congreso de los Diputados, que tiene 350 diputados, y el Senado, 226 senadores.

Los partidos políticos más importantes son: el PSOE (Partido Socialista Obrero Español), el PP (Partido Popular), conservador, el CDS (Centro Democrático Social), un partido liberal y el PC (Partido Comunista).

Además hay importantes partidos nacionalistas: CiU (Convergència y Unió) en Cataluña y PNV (Partido Nacionalista Vasco) en el País Vasco.

Los sindicatos más importantes son la UGT (Unión General de Trabajadores), afín al partido socialista, y CC. OO. (Comisiones Obreras) donde se afilian los comunistas.

El presidente del Gobierno, Felipe González

- ♠ Escribe una ficha política de tu país.
- ♠ ¿Cuáles son las diferencias entre España y tu país?

El escudo de España incluye:
- *el castillo de Castilla*
- *el león de León*
- *las barras de Aragón*
- *las cadenas de Navarra*
- *la flor de lis de los Borbones (centro)*
- *la granada de Granada (abajo)*

A los dos lados hay dos columnas con una inscripción latina: Plus ultra. *Según la leyenda Hércules separó África de Europa y colocó en el estrecho de Gibraltar las columnas que señalaban el fin del mundo conocido.* Non plus ultra, *es decir, no hay nada más allá.*

Al descubrir América, se quitó el non *a la frase y* plus ultra, *en el sentido de que hay un nuevo mundo más allá, se convirtió en el lema del escudo de España.*

Algunos problemas

Hoy día España, por su PIB (producto interior bruto), es el octavo país del mundo. Aunque su renta per cápita apenas llega al 75 por ciento de la media de la Comunidad Europea (CE), la España miserable de los años 40 ya es historia.

Los electrodomésticos y los coches son patrimonio común de los españoles, aunque todavía no se ha alcanzado la media de la CE. Las diferencias regionales son grandes y tienden a hacerse mayores. En las regiones más ricas, por ejemplo, Cataluña, la renta per cápita llega a ser más del doble que en las más pobres como Extremadura. Si añadimos que en éstas las grandes diferencias sociales provocan en el campo condiciones de vida duras, comprenderemos que siga la despoblación de las zonas rurales.

Los problemas más graves del país son el paro y el terrorismo. El paro alcanza el 20 por ciento de la población activa y afecta particularmente a jóvenes y mujeres y a las regiones menos desarrolladas. Las consecuencias sociales de un paro tan alto son paliadas por la floreciente "economía sumergida".

El movimiento independentista vasco, ETA, es el autor de casi todos los atentados terroristas.

Como en otros países industrializados, la inseguridad ciudadana, el extendido consumo de drogas y la aparente impunidad de la delincuencia son motivos de preocupación.

◀ *Aunque la presión fiscal es una de las más bajas de Europa los españoles se sienten explotados por el estado. Motivo: la baja calidad de los servicios públicos, sobre todo en salud pública y justicia. Y el deficiente funcionamiento de los funcionarios.*

El cómo hacer eficaz la administración es una de las preocupaciones más grandes de los gobernantes españoles. También preocupa la escasa competitividad de las empresas españolas en el mercado único europeo.

España en Europa

Tras el aislamiento de la época de Franco, roto primero por la masiva llegada de turistas y el contacto de los emigrantes españoles con Europa, hoy día España es miembro de los más importantes organismos internacionales.

En 1985 España firmó el tratado de ingreso en la Comunidad Europea y en marzo del año siguiente se ratificó en un referéndum su permanencia en la OTAN.

♦ ¿Cómo se llaman los doce países miembros de la CE?

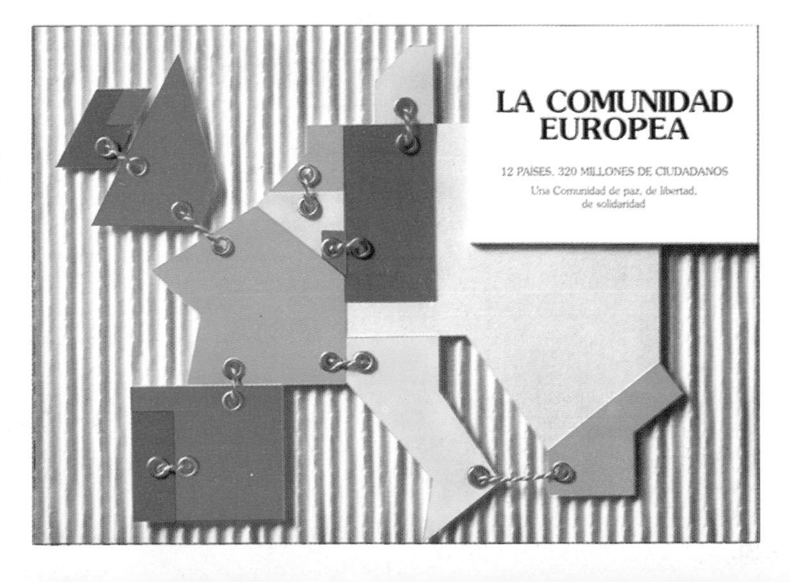

Instituciones

La Iglesia católica

▲ *La Iglesia ha lanzado una amplia campaña publicitaria, en prensa, radio y televisión, para autofinanciarse.*

Los ciudadanos, que hasta hace poco podían elegir entre destinar, en su declaración de impuestos, el uno por ciento a la Iglesia Católica o a otros fines sociales, no han sido generosos con la Iglesia.

Aunque un 90 por ciento de la población es católica, sólo un 25 por ciento va a misa los domingos. Durante las fiestas religiosas – Navidad, Semana Santa – se va más a la iglesia.

La Iglesia católica comenzó a ser un factor de poder ya desde la Reconquista. Intervino decisivamente en la conquista de América tanto en la cristianización de los indígenas como en su defensa. Luego, en la guerra de la Independencia, se puso al lado del pueblo en su lucha contra la invasión francesa. Durante siglos ha tenido gran influencia en los reyes por medio de confesores y consejeros.

La Iglesia aprobó la insurrección de Franco contra la República. Franco proclamó a España, aunque sin rey, monarquía católica y al catolicismo, religión de Estado. Se prohibieron las demás religiones. Al final de la época de Franco algunos curas y obispos progresistas criticaron al régimen. Cuando España aprobó la Constitución se separó la Iglesia del Estado y ahora existe una libertad religiosa total.

Se ha producido una laicización del país aunque existe todavía un gran número de colegios religiosos. En la última reforma de la enseñanza se elimina la enseñanza obligatoria de la religión católica.

En los últimos años la Iglesia ha perdido importantes batallas: planificación familiar, aborto y divorcio.

El ejército

◀ *El servicio militar es obligatorio durante 13 meses para todos los hombres a partir de los 18 años. Desde hace unos años es posible ser objetor de conciencia. Un objetor acepta un servicio a la sociedad como sustitutorio. El insumiso, sin embargo, no acepta ningún servicio militar.*

Los militares también han tenido un gran papel en la historia: en la Reconquista, en la conquista de América y en las guerras de religión. Pero es en el siglo XIX, tras la pérdida de las colonias y las guerras carlistas, cuando comienzan a mezclarse en la vida política.

El Ejército fue el principal apoyo al régimen de Franco. Durante los primeros años de la dictadura el 40 por ciento de los ministros eran generales. Aunque después de morir Franco y al entrar en un periodo democrático, algunos militares expresaron su descontento en un golpe de Estado, hoy el Ejército español se considera satisfecho y se mantiene obediente al poder civil.

La policía y la Guardia Civil

Hay tres tipos de policía. La Policía Nacional, uniforme marrón, mantiene la ley y el orden en las ciudades, vigila los edificios públicos y se ocupa de la inmigración (control de pasaportes). La Policía Municipal, uniforme azul marino y camisa azul clara, se ocupa de pequeños delitos, tráfico y aparcamiento en las ciudades.

La Guardia Civil, uniforme verde y tricornio de charol negro, es una organización paramilitar que se ocupa del orden en áreas rurales y vigila las fronteras y las costas. Es el instrumento de la lucha contra el terrorismo y por ello el objetivo de muchos atentados de ETA.

En Cataluña y en el País Vasco hay policías autonómicas con uniformes diferentes.

En la España democrática aún quedan restos del miedo a la policía de la época franquista y se desconfía del trato que da a los presos.

La Guardia Civil se ocupa también de controlar el tráfico en carretera.

Nuevas clases

La división de clases tradicional – latifundistas ricos y braceros pobres – comenzó a cambiar con la industrialización que desarrolló un fuerte movimiento obrero y potentes sindicatos. Pero hasta finales de 1960 no empezó a aparecer una verdadera clase media. Eran los ejecutivos, los técnicos y los altos cargos de las nuevas empresas creadas en la expansión de la industrialización.

Esta clase media, ya bien asentada, que basa su riqueza en el trabajo, ha comenzado a ver cómo surgen nuevos grupos cuya riqueza se basa en la especulación, influencias en el Gobierno y contactos con la banca.

Estamos muy lejos de la España que mostraba un gran desinterés en hablar de dinero.

- ♠ ¿Existe el servicio militar en tu país?
- ♠ ¿Estás de acuerdo con los que están contra los ejércitos? Sí o no, explica por qué.

Sociedad

Los jóvenes

Hace treinta años se podía oír: "La niña, a las nueve en casa". Y así era, pero el autoritarismo de los padres se ha debilitado. Se dice en broma que el único poder que le queda al padre español es el que le da el mando a distancia del televisor.

El cambio de la sociedad española se nota mucho en las costumbres de los jóvenes de hoy que son más libres que las de sus padres.

También la expansión de la enseñanza pública, enorme en los últimos 20 años, que ha relegado a un segundo plano a la religiosa, tan dominante hace unos años, ha liberalizado mucho las costumbres. La educación mixta, general en colegios públicos, favorece un trato natural entre los jóvenes ya desde pequeños.

También contribuyen a la mayor libertad de los jóvenes, los contactos con el extranjero y su cultura y, sobre todo, la extensión de formas de vida urbana de los últimos años. Más del 70 por ciento de la población vive ahora en ciudades.

Palabras de jóvenes

un tío/una tía	compañero/a, amigo/a
mis viejos	mis padres
un colega	amigo/a
un pijo	joven obsesionado por la ropa de marca y la moda
guay	bueno, excelente
mogollón	mucho
pelín	muy poco
Corta el rollo.	Déjalo ya.
No te pases.	No exageres.

La mujer

"La mujer, la pierna quebrada y en casa." Esta popular expresión española pertenece, al menos en las ciudades, ya al pasado; lo mismo que la imagen de mujeres vestidas siempre de negro por los lutos permanentes. La imagen de la mujer que tienen las generaciones de menos de 40 años, es decir, la mayoría de los españoles, ya no es sólo la de responsable del hogar y ama de casa.

Hace sólo 20 ó 30 años la participación de la mujer en la vida cívica o profesional era muy baja. Aunque la situación ha mejorado mucho, el porcentaje de la mujer en la población laboral es el más bajo de la CE y la mayoría de las mujeres trabaja como camareras o secretarias. Además, aún no existe la igualdad de salario a trabajo igual. La píldora, la legislación del divorcio y del aborto y la debilitación de la influencia religiosa en la sociedad – muy profunda en la mujer – han significado un avance.

En la vida política el PSOE ha aprobado que el 25 por ciento de los cargos del partido deben ser desempeñados por mujeres.

◀ *Los "pijos" están obsesionados por la ropa y objetos de marca, generalmente caros. Pero ganar ese dinero no es fácil; hay mucho paro. Por eso los hijos no se van de casa a vivir solos. Viven con sus padres; en casa las obligaciones son pocas, los derechos muchos.*

Se casan menos y más tarde. Con los "colegas" se está bien, en la discoteca y en los bares se escucha música, se bebe, se baila. Ni el deporte ni la lectura son aficiones prioritarias.

Los estudios son importantes como un medio para conseguir un título que les de un trabajo bien pagado y hacer una rápida carrera profesional.

◀ *De vez en cuando se lee en la prensa sobre los enfrentamientos de la policía con jóvenes descontentos porque las autoridades quieren cerrar los bares ya a las tres de la madrugada.*

Esta imagen va desapareciendo de España.

◀ *Se va extendiendo el uso del femenino – la ministra, la jueza, la presidenta, la directora y la médica – en la administración y en la vida profesional.*

Los mayores

Como aumentan las esperanzas de vida, los ancianos son cada vez más numerosos. Un 13 por ciento de la población española son personas mayores de 65 años. La edad de jubilación es de 65 años y el jubilado español tiene una esperanza de vida media de 76,8 años. Al mismo tiempo, aumentan las jubilaciones anticipadas. Los viejos son cada vez más jóvenes. Y como las jubilaciones son más altas los mayores tienen más dinero.

Tal vez el mayor cambio en la España de hoy sea que los mayores no se arrinconan para morir.

Los pisos se construyen cada vez más pequeños y los jóvenes se van cada vez más tarde de casa, así es que hay menos sitio para los mayores. Por eso las Residencias son una vivienda muy común para los ancianos. ▶

◀ *Nunca ha habido tantas personas mayores tan activas, pasándolo tan bien, incluso mejor que en su vida laboral. Hacen excursiones, cursos y todo tipo de actividades de tiempo libre.*

♠ ¿Por qué crees que es el primer congreso de organizaciones de mayores en España?

♠ ¿Cuál es la esperanza de vida media en tu país? ¿Es más alta que la de España?

La educación

Un derecho constitucional

En 1990 empezó la reforma de la educación que terminará en el año 2000. Por tanto, en esta década, coexisten el sistema antiguo y el nuevo.

Sistema antiguo		**Años del alumno**	**Reforma**	
Universidad / Formación Profesional Superior		18 años	**Universidad / Formación Profesional Superior**	
Curso de Orientación Universitaria (COU)	**Formación Profesional** * voluntaria	17 años	**Educación postobligatoria** * voluntaria	
Bachillerato Unificado Polivalente (BUP) * voluntario		16 años	**Bachillerato** (4 líneas) técnico/científico artístico/humanístico	**Formación Profesional**
		15 años	cuarto	**Educación Secundaria Obligatoria (ESO)** * obligatoria * gratuita
		14 años	tercero	
	octavo	13 años	segundo	
	séptimo	12 años	primero	
Educación General Básica (EGB) * obligatoria * gratuita	sexto	11 años	sexto	**Educación primaria** * obligatoria * gratuita
	quinto	10 años	quinto	
	cuarto	9 años	cuarto	
	tercero	8 años	tercero	
	segundo	7 años	segundo	
	primero	6 años	primero	
Educación preescolar de 3 a 5 años * no obligatoria			**Educación infantil de 6 meses a 5 años** * no obligatoria	

En el cuadro de arriba ves claramente las diferencias de los dos sistemas.

El sistema nuevo ha establecido que la educación será obligatoria y gratuita de los 6 a los 16 años e incluye, por primera vez, la educación infantil total.

La educación postobligatoria no es gratuita. El bachillerato es indispensable para entrar en la Universidad. La Formación Profesional prepara a los jóvenes para el mundo del trabajo.

En el colegio

La mayor parte de los alumnos va a la enseñanza pública, a cargo del Estado y totalmente gratuita. La enseñanza privada, subvencionada por el Estado en la mayoría de los casos, tiene todavía mucha importancia.

Los prestigiosos colegios religiosos – casi todos católicos – y también los centros extranjeros de enseñanza bilingüe tienen un gran estatus social.

Los alumnos, tanto los de la enseñanza pública como los de la privada, tienen que comprar sus libros de texto. ▶

En estos momentos sigue en muchos lugares la jornada partida, de las nueve de la mañana a la una de la tarde y de las tres a las cinco, pero se va implantando la jornada continua de las ocho y media a las tres de la tarde con dos recreos.

La universidad

Los que desean seguir estudios universitarios – un 25 por ciento aproximadamente de los que estudian COU – deben pasar las pruebas de ingreso en la universidad. Se pueden seguir estudios superiores en una universidad, en una facultad universitaria, en una escuela técnica superior o en una escuela universitaria.

En la universidad se pueden seguir estudios de medicina, derecho, química, literatura, etc. En las escuelas técnicas superiores se puede estudiar carreras como arquitectura o ingeniería y en las escuelas universitarias se forman profesores de EGB, enfermeras o los que quieren trabajar en informática. Hoy la mayoría de los alumnos eligen estudios científicos o técnicos.

También hay una universidad a distancia en la que se pueden seguir estudios sin asistir regularmente a clase.

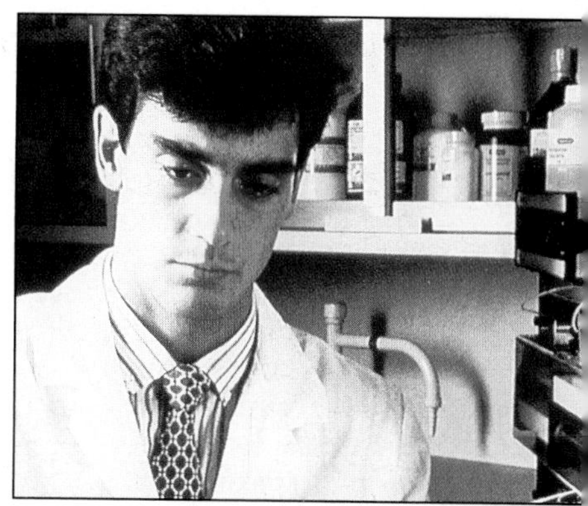

La precariedad de medios de investigación y la escasa protección estatal a la investigación son dos causas de la fuga de cerebros a otros países, especialmente a Estados Unidos, lo que constituye un grave obstáculo al desarrollo técnico y científico del país.

◀ *La primera universidad española se fundó en Salamanca en el siglo XIII. Hoy día hay en España 30 universidades – la mayor parte públicas – a las que asisten más de un millón de estudiantes y numerosas escuelas técnicas superiores y universitarias.*

Una superproducción de ciudadanos con título universitario ha creado un alto paro entre los licenciados.

En los últimos diez años ha aumentado notablemente el interés por los idiomas extranjeros especialmente por el inglés. Al popularizarse el turismo español por el mundo hay una gran demanda para estudiar idiomas. Como la enseñanza oficial es muy limitada surgen las academias privadas que presentan de manera atractiva la conveniencia o necesidad del estudio del inglés. ▶

¿Quién enseña?

- En las escuelas infantiles o colegios de enseñanza primaria enseñan los maestros.
- En los institutos o colegios de enseñanza secundaria enseñan los profesores.
- En la enseñanza secundaria pública hay además catedráticos, es decir, los profesores responsables de su materia.

♦ Mira los anuncios y contesta a las preguntas.

1. Los estudiantes que pasan un año escolar en Estados Unidos (EE. UU.), ¿dónde se hospedan?
2. Los cursos de idiomas en el extranjero ¿no tienen lugar más que en el verano?
3. Si una empresa quiere enseñar idiomas extranjeros a sus empleados ¿qué puede esperar de Infort?

♠ ¿Para qué le sirve a un joven un año fuera de su país?

Los medios de comunicación

La prensa

Los cambios en la vida política han tenido gran influencia en la prensa. Hasta la muerte de Franco la férrea censura fue la causa de la baja calidad de los periódicos. Sin embargo, a partir de finales de los 60, algunas revistas semanales y periódicos cumplieron una función muy importante en la lucha contra la dictadura de Franco.

Con la llegada de la democracia en 1975, la prensa se ha transformado y hoy en día hay periódicos de alta calidad, por ejemplo *El País*, fundado en 1976 y que ahora vende 400.000 ejemplares. Tiene fama de ser un diario objetivo y serio. Los diarios *La Vanguardia* de Barcelona y *ABC* de Madrid son también periódicos de prestigio en España.

MARCA
GRAN CONCURSO MILLONARIO
AYER NO HUBO ACERTANTES
MARCA PLUS
HOY 600.000 PESETAS
2 1 EL MADRID, SUPERLIDER
Prodigioso
IMPRESIONANTE PARADA DE BUYO AL PENALTI DE DJUKIC CON 1-1 EN

Hay varios diarios deportivos. Los más conocidos son Marca *y* As.

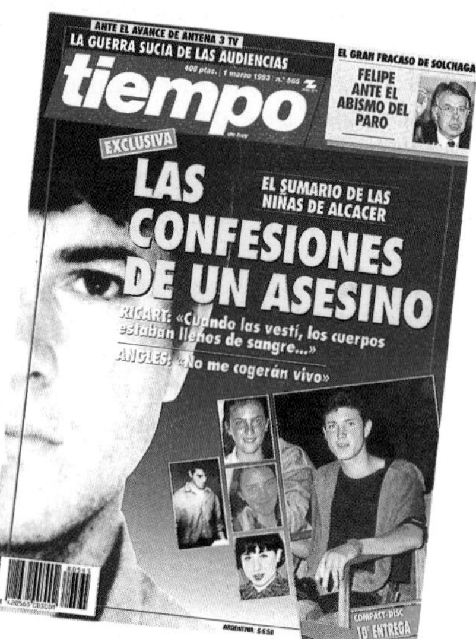
ANTE EL AVANCE DE ANTENA 3 TV
LA GUERRA SUCIA DE LAS AUDIENCIAS
tiempo
EL GRAN FRACASO DE SOLCHAGA
FELIPE ANTE EL ABISMO DEL PARO
EXCLUSIVA
EL SUMARIO DE LAS NIÑAS DE ALCACER
LAS CONFESIONES DE UN ASESINO
RICART: «Cuando las vestí, los cuerpos estaban llenos de sangre...»
ANGLES: «No me cogerán vivo»

La prensa semanal ofrece revistas de información seria, Cambio 16 *y* Tiempo. *Las numerosas revistas del corazón como* Hola *y* Pronto *tienen tiradas altas. Hay también alguna revista humorística como* El jueves.

La radio

En España se escucha bastante la radio. Hay una radio pública, Radio Nacional, que tiene diferentes programas: noticias, de música clásica o juvenil.

La SER, la COPE y Antena 3 tienen programas de tertulia y debate social muy escuchados, con periodistas conocidos como Luis del Olmo e Iñaki Gabilondo.

◀ Los 40 principales *es el programa preferido por los jóvenes y el más escuchado en España.*

La televisión

Es evidentemente la televisión la que tiene mayor número de adeptos. TVE (Televisión española) tiene dos canales, Canal 1 y Canal 2. Hasta hace poco, estaban financiados, exclusivamente por la publicidad y ahora, además, con contribuciones del Estado.

Algunas comunidades autónomas tienen televisión propia, entre ellas el País Vasco, Cataluña, Galicia, Madrid y Andalucía. Hay programas en las lenguas regionales: vascuence, catalán y gallego.

Desde hace dos o tres años hay tres canales de televisión privados. Canal + (Plus) es un canal de abono. Los otros dos, Antena 3 y Tele 5, se financian por publicidad.

La televisión emite en España desde las siete u ocho de la mañana hasta las dos o tres de la madrugada (los viernes y sábado más). Esos días algún canal emite las 24 horas sin interrupción.

El cine

Los aficionados al cine de todo el mundo conocen el nombre de Luis Buñuel (1900-1983). Ya antes de la Guerra Civil había hecho películas que pronto se harían clásicas como *Un perro andaluz* y *La edad de oro*. Después de la guerra Buñuel se exilió y realizó su obra en México y Francia.

La censura de la época de Franco era especialmente dura en el cine sobre todo en materia de sexo, religión y política. A pesar de la censura aparecieron dos nombres interesantes: Juan Antonio Bardem y Luis Berlanga. Pero en los años 70 el director más conocido fuera de España fue Carlos Saura.

En la actualidad los problemas del cine son económicos: la creciente invasión de películas norteamericanas y el escaso apoyo del Estado a los nuevos cineastas. Es Pedro Almodóvar el nombre que puede representar al nuevo cine español en el mundo. Su película *Mujeres al borde de un ataque de nervios* ha sido un éxito mundial.

Carlos Saura se hizo famoso por las adaptaciones de obras de García Lorca al cine-en forma de ballet flamenco-en colaboración con el gran bailarín Antonio Gades. ▶

Una escena de la película de Pedro Almodóvar Tacones lejanos.

Telediarios, fútbol, series estadounidenses (doblados en español), fútbol, tertulias, fútbol, y concursos y más concursos constituyen la programación habitual. Aquí se ve a los participantes del programa Un, dos, tres.

Las telenovelas latinoamericanas pueden paralizar, como alguna retransmisión deportiva, la vida nacional.

♦ ¿Qué se ve en la televisión? Relaciona el tipo de programa con su descripción.

1 Un telediario
2 Una telenovela
3 Los dibujos animados
4 Un boletín meteorológico
5 Una emisión deportiva
6 Un documental
7 Un programa sobre la naturaleza
8 Variedades

a ... es un programa que da las noticias.
b ... es un programa que muestra paisajes y animales.
c ... es un programa que presenta diferentes aspectos de la realidad.
d ... es un programa con música, baile y cómicos.
e ... es un programa que explica el tiempo.
f ... es un programa que transmite deportes.
g ... es una serie de muchos episodios de tipo muy romántico.
h ... es un programa en el que los protagonistas están dibujados.

♠ ¿Y en tu país? Escribe el título de un programa de estos tipos.

a Dibujos animados
b Un documental
c Una telenovela
d Un programa sobre la naturaleza

Hecho en España

La economía

Por su PIB (producto interior bruto), España es uno de los ocho países más ricos del mundo. En los últimos 50 años, el país, que tenía el 45 por ciento de la población activa trabajando en la agricultura, se ha transformado radicalmente. Ahora el 80 por ciento de la población activa trabaja en la industria y los servicios.

En 1959 se inició un plan de estabilización para sanear la economía que provocó el cierre de empresas anticuadas. Los efectos del paro fueron paliados por la masiva emigración de obreros españoles a una Europa cuya industria necesitaba mano de obra. Por aquellos años comenzaron a llegar los turistas.

El éxito económico de la combinación de estos tres elementos – planes de desarrollo, crecimiento del turismo y el dinero que enviaban los emigrantes – sacó a España de la penuria de la posguerra y facilitó la industrialización del país.

Fueron también los años en que se permitió entrar al capital extranjero. Hoy las multinacionales norteamericanas, alemanas, japonesas, francesas o suecas son tan corrientes en España como en el resto de Europa.

Las pequeñas empresas familiares tienen muchos problemas y se teme que no puedan competir en el mercado único europeo.

También las pequeñas tiendas tienen dificultades para sobrevivir ya que la gente se está acostumbrando a comprar en grandes superficies.

España importa:	España exporta:
petróleo	automóviles
soja	fruta y verduras
café	vino
maíz	aceite de oliva
carbón	hierro y acero
materias primas químicas	productos químicos
madera	barcos
maquinaria	cemento
productos eléctricos	zapatos

Casi un 50 por ciento del comercio se realiza con la CE (Comunidad Europea).

La industria

El norte ha sido la zona tradicionalmente más industrializada, pero la exitosa política de crear otros centros de desarrollo ha cambiado el mapa industrial del país. A partir de los años 60, Madrid es una zona muy industrial. El ingreso en la CE en 1986 fue el impulso para la reconversión industrial, es decir, la transformación o cierre de empresas anticuadas y la inversión en el campo de la alta tecnología.

La falta de petróleo ha llevado a la explotación de los ríos y al aprovechamiento de la energía hidroeléctrica.

La minería es muy variada; incluye carbón, hierro, plomo, mercurio y cobre.

En los últimos 10 ó 15 años se ha desarrollado la llamada "economía de casino", es decir, la orientada a la especulación. Busca la ganancia fácil y rápida y no la producción, que es la base de la riqueza de un país.

♦ ¿Has visto productos españoles en las tiendas de tu país? ¿Cuáles son?

Los productos de la tierra y del mar

Hace 30 años, agricultura, ganadería y pesca constituían la base de la economía española. En estos sectores trabajaba el 40 por ciento de la población activa y producían la mitad de los ingresos por exportación. Hoy estas cifras han caído hasta el 16 por ciento y el 20 por ciento, respectivamente.

Los principales productos agrícolas incluyen cereales (trigo especialmente, cebada y maíz), fruta (naranjas, manzanas, peras, melocotones y plátanos), verduras, olivas, vino, tabaco y miel. También podemos incluir el algodón y la seda.

Ovejas y cerdos son los principales productos de la ganadería. La producción de leche está concentrada en el norte del país.

La pesca es una actividad económica básica. La flota pesquera española es una de las más grandes del mundo. Los puertos de pesca más importantes están en Galicia.

Los principales puertos pesqueros son La Coruña, Vigo y Pontevedra, todos en Galicia. ▶

España es el segundo productor de aceitunas del mundo. Las aceitunas se cultivan sobre todo en Andalucía.

España es el primer exportador del mundo de naranjas y otros cítricos. Los árabes introdujeron las naranjas en España hace mil años. ▶

◀ *España es el sexto productor de automóviles del mundo y exporta la mitad de su producción. La marca SEAT es la más conocida.*

Los mineros leoneses, con su ropa de trabajo, durante la marcha a Madrid para protestar por el cierre de las minas. ▶

El turismo

¡Vamos a España!

El año 1992 visitaron España más de 53 millones de turistas, es decir, ¡casi un turista y medio por habitante!

Aunque ya en el siglo pasado la isla de Mallorca recibía turistas ingleses, el turismo masivo es relativamente reciente. Hasta finales de los 50 España fue un país aislado, cerrado al extranjero. Es a partir de 1960 cuando se comienzan a abrir las fronteras y se desarrolla el turismo de masas.

En pocos años España se convirtió para los europeos en el paraíso de un turismo barato que ofrecía un sol seguro en sus miles de playas. A finales de los 70 visitaron España más de 24 millones de turistas.

El turismo sigue siendo vital para equilibrar el déficit de la balanza de pagos española. El grueso del turismo de verano es el de sol y playa, alcohol barato y discotecas hasta las cinco de la madrugada, pero la industria turística sufre una crisis. Los precios han subido y los turistas los encuentran altos. Se pretende captar un turismo con mayores recursos económicos, ofreciendo mejores servicios a precios más elevados, por ejemplo vacaciones con golf y equitación.

◀ *El florecimiento de la industria turística contribuyó al desarrollo de España. La construcción de innumerables hoteles generó una gran actividad económica.*

Como cruz de la moneda, la despiadada explotación del litoral ha producido daños irreparables en la estética de las costas y el medio ambiente.

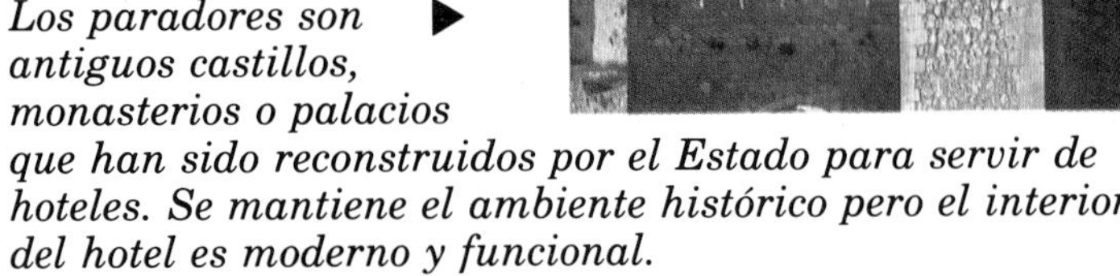

Los paradores son antiguos castillos, monasterios o palacios que han sido reconstruidos por el Estado para servir de hoteles. Se mantiene el ambiente histórico pero el interior del hotel es moderno y funcional. ▶

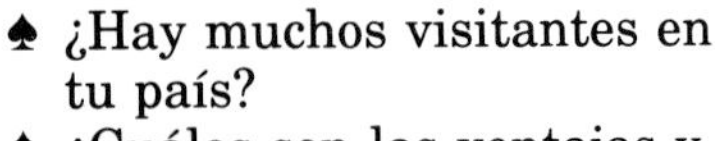

- ♠ ¿Hay muchos visitantes en tu país?
- ♠ ¿Cuáles son las ventajas y las desventajas del turismo?

Turismo de invierno

De noviembre a febrero, Canarias recibe en su espléndido clima a miles de turistas que huyen del inclemente clima nórdico.

En la península hay otro tipo de turistas de invierno: el de los amantes del esquí.

En Sierra Nevada, en el mes de abril, uno puede esquiar por la mañana y bañarse en el Mediterráneo por la tarde.

Los españoles en vacaciones

Los españoles tienen un mes de vacaciones y las toman generalmente en agosto. Las pasan en la segunda vivienda, en apartamentos alquilados, en hoteles o en campings. Algunos aún tienen raíces en sus pueblos de origen y allí pasan las vacaciones con la familia.

El norte de España – San Sebastián, Santander, Galicia – atrae a turistas nacionales de Madrid o Zaragoza. Dejan las calurosas ciudades y disfrutan de un ambiente fresco. Pero la mayoría va a las playas del Mediterráneo donde hay más sol y más "marcha".

Un turismo ecológico interesa a mucha gente. Empieza a popularizarse el senderismo y hay mapas para las caminatas de montaña.

Ya son bastantes los que abandonan las aglomeraciones y la pasividad de las playas para hacer un turismo activo en montaña: paseos, excursiones o bicicleta.

Las agencias de viajes ofrecen muchas posibilidades de excursiones en grupo para aprovechar los puentes de Semana Santa, Navidad o del día de la Constitución.

El puente es un fin de semana largo. Cuando una fiesta cae en jueves se suele tomar fiesta el viernes alargando así el fin de semana.

♦ Lee este anuncio de un grupo hotelero español. Contesta a las preguntas.

1 ¿Dónde se encuentran los hoteles?
- **a** Todos en ciudades.
- **b** Algunos en ciudades y otros en la costa o en el campo.
- **c** Todos en el campo.

2 ¿Por qué se pasa un puente en un hotel?
- **a** Para descansar lejos de la familia.
- **b** Para no ver a los amigos.
- **c** Para variar un poco.

3 ¿Cuáles de estas comodidades se mencionan en la descripción de los hoteles?
- **a** Televisor y vídeo, mini bar, piscina, climatización.
- **b** Refrescos, TV color y vídeo, teléfono, despertador.
- **c** Música ambiental, mini bar, televisor color y vídeo.

♠ ¿Y tú? ¿Por qué te vas de vacaciones? ¿Qué buscas, el descanso o la actividad?

¿Cómo es tu casa?

Diferencias regionales

Las casas tradicionales del norte de España son diferentes de las del sur. En el norte, donde llueve bastante, las casas tienen los tejados muy inclinados para que la lluvia corra con facilidad. También tienen miradores para que entre la poca luz que hay.

El calor obliga a construir las casas de otra manera en el sur. Los tejados son planos y las paredes son blancas para que rechacen el calor. Suelen tener un patio interior, decorado con azulejos y plantas, donde hay una fuente o un surtidor que crea un ambiente fresco y una sensación de oasis.

Esas diferencias se mantienen, en parte, en las casas modernas. En el norte se siguen construyendo casas con miradores. En el sur, los habitantes se preocupan más de las persianas que los protegen del sol y el calor.

Este balcón está lleno de flores. Casi todas las casas tienen balcones.

En los patios andaluces el agua proporciona un frescor muy agradable en un clima cálido.

Las casas del norte tienen miradores.

¿Vives en un piso o en un chalé?

La mayoría de los españoles vive en pisos y una minoría en chalés. Una gran parte de la población es propietaria de su vivienda; los demás, la alquilan.

En las grandes ciudades los precios de la vivienda, tanto de compra como de alquiler, son muy altos. A pesar de ello, se ha extendido bastante la propiedad de la segunda vivienda en la costa, en la sierra o en pueblos, utilizada para huir del estrés o de la polución de las grandes ciudades.

En las ciudades suele haber un centro antiguo rodeado por barrios modernos. Estos barrios pueden ser residenciales – generalmente chalés – o populares, caracterizados por grandes bloques, las "colmenas" de las llamadas "ciudades dormitorio".

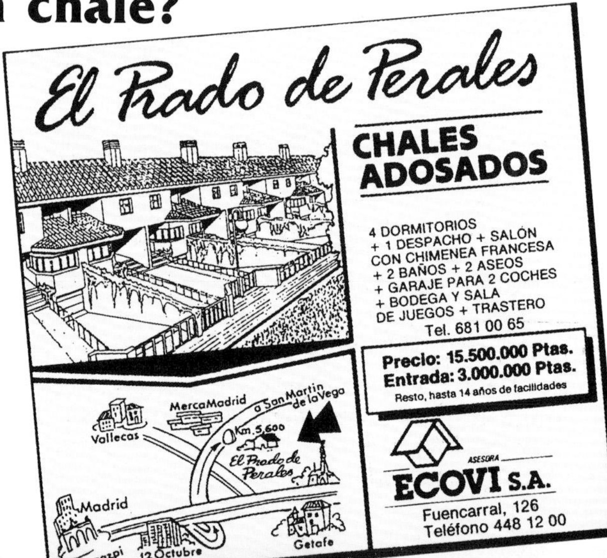

◀ *Las alfombras no son tan corrientes como en el resto de Europa. Son un adorno que se pone en invierno. En un clima cálido, en verano, es más agradable andar sobre parqué o baldosa que sobre alfombras.*

La mesa camilla es una mesita redonda cubierta con faldas, que tiene debajo una fuente de calor. Hace unos años (y aún hoy en los pueblos) era un brasero de carbón.

Era una buena manera de mantener los pies calientes en las gélidas casas sin calefacción central.

♦ Mira la publicidad de unos chalés que se venden cerca de Madrid.

1 ¿Para qué sirve una bodega en una casa? ¿Y un trastero?

2 ¿Por qué crees que hay chimeneas si son casas modernas?

♠ ¿Te gustaría vivir en una casa como los chalés del anuncio? ¿Por qué? ¿Por qué no?

♠ ¿Cómo es tu casa soñada?

Así se escribe la dirección

Primero, el nombre

Luego, los apellidos

Nombre de calle, avenida, plaza

Sr.D. José María Jiménez Ruiz
c/ Borja, 3, 2°, izda
50500 Tarazona
(Zaragoza)
ESPAÑA

Número de la calle, piso, o letra, (A, B, C) o izda., dcha.

Ciudad

Código postal

Si viene del extranjero, el país.

Provincia

Detrás del número de la calle va el del piso. Si hay dos apartamentos por planta se pone izda. (izquierda) o dcha. (derecha). Un número o una letra indica el apartamento si hay más de dos en cada planta.

En los portales hay buzones, uno para cada vecino, donde el cartero deja las cartas.

¿Hay portero?

Antes, en casi todas las casas, había un portero que vivía en la planta baja y vigilaba las entradas y salidas de visitantes, recibía encargos y conocía la vida y milagros de los vecinos.

Ahora, en la mayoría de las casas hay un portero electrónico, por razones de seguridad. Los porteros de carne y hueso quedan para las casas más elegantes o las muy grandes.

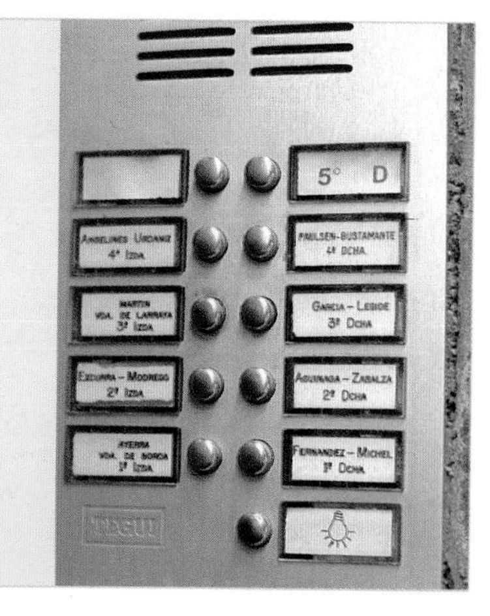

Vida familiar

En familia

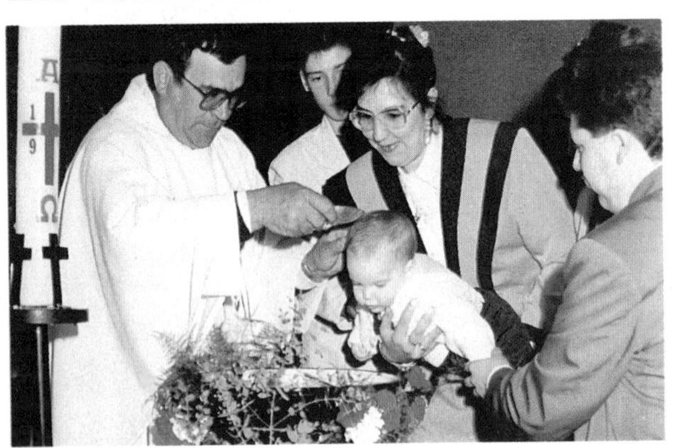

Un bautizo con el niño bien elegante.

Los niños hacen la primera comunión hacia los 8-9 años, generalmente en el mes de mayo, en ceremonias colectivas organizadas por los colegios, y constituye una gran fiesta familiar.

Os comunicamos junto con nuestros padres, que nos casaremos el día 6 de diciembre, a las 6 de la tarde, en la Iglesia Parroquial del Corazón de María (Avda. de Goya, n.° 63).

Os invitamos a que participéis de nuestra felicidad.

Miguel Taboada Echeverría
María Tabuenca Aured

Septiembre 1993

Las familias españolas viven bastante unidas. No es raro que los padres, sobre todo al quedar viudos, sigan viviendo con sus hijos y los hijos de éstos.

Las familias – hermanos, cuñados, tíos, primos, sobrinos – se reúnen en muchas ocasiones: fiestas, comidas o tardes de domingos, cumpleaños, santos, bautizos, Navidades, comuniones, bodas y entierros.

Como el índice de natalidad va disminuyendo, las familias españolas ya no son tan numerosas como antes y las reuniones familiares tienden a hacerse más pequeñas.

◀ *Una invitación de boda. La mujer no pierde su apellido al casarse y añade al suyo el de su marido. Después del matrimonio esta mujer se llamará María Tabuenca de Taboada.*

◀ *Las parejas españolas se casan generalmente "por la iglesia" – boda católica – pero se va extendiendo la fórmula de matrimonio civil, sin ceremonia religiosa. A partir de 1982 es posible el divorcio.*

Todos se reúnen en torno a la mesa para comer juntos.

Nombres

Los nombres más corrientes son los de santos y los de la Sagrada Familia: Jesús, José y María. Es muy corriente encontrar hombres que se llaman Jesús o José María y mujeres que se llaman María Jesús o María José.

Los nombres de mujer más comunes son los que recuerdan algún momento de la vida o forma de llamar a la Virgen María: María de las Mercedes, de la Soledad, del Rosario, del Pilar. Se suele utilizar sólo la segunda parte: Soledad o Mercedes.

En los últimos años la televisión va convirtiéndose en proveedor de nombres y se empiezan a encontrar, sobre todo en mujeres, nombres de protagonistas de series populares de tele o de actrices, como Tamara y Vanesa.

Se emplean mucho las versiones familiares de ciertos nombres: Francisco es Paco para sus amigos, o Paquito, José es Pepe o Pepito, Rosario es Charo o Charito y Dolores es Lola o Lolita.

RODRIGUEZ ARENAS GARCIA, J. A.	
Av. Emperatriz Isabel, 7	269 7147
RODRIGUEZ ARENAS LUIS Y OTRO CDAD	
Juegos - Av. Monforte Lemos, S/N	730 2020
RODRIGUEZ ARENZANA, R. M.	
Gral. Aranaz, 28-30	320 2241
» ARES, A. - Rafaela Bonilla, 4	355 6895
» ARES, B. - Po. Sta. Ma. Cabeza, 85	473 5102
» ARES, B. - Hostal - Av. Gran Via, 12	*522 6423
» ARES, E. - Mateo Garcia, 30	403 4557
» ARES, E. - Pl. Paular, 5	404 0180
» ARES, M. - Gallur, 421	466 0029
» AREVALO, A. - Gral. Ricardos, 154	471 9261
» AREVALO, A. - Miramadrid, 18	475 5111
RODRIGUEZ AREVALO, A. - Boteria	
– Aguila, 12	265 6629
RODRIGUEZ AREVALO, C. - Castrogeriz, 20	462 4996

Los españoles vienen con sus dos apellidos – el primero es el del padre y el segundo el de la madre – en la guía telefónica. Es muy práctico para distinguir los innumerables Pérez, Rodríguez o Jiménez.

Ritmo diario

Los Pérez desayunan a las ocho. A las nueve menos cuarto el señor Pérez va al trabajo, y los hijos van al colegio.

El horario de los españoles va cambiando lentamente, pero la gente aún se acuesta muy tarde y no se levanta muy temprano.

Generalmente, la jornada laboral está dividida en dos por la comida. Se trabaja de las ocho o nueve de la mañana hasta la una o las dos de la tarde y de las tres o cuatro hasta las seis o siete de la tarde.

En las ciudades pequeñas, los que trabajan fuera de casa y los que van al colegio vuelven a casa a comer, hacia las dos de la tarde. Las tiendas cierran al mediodía, pero no los bancos. Tampoco cierran las oficinas públicas y las empresas privadas que tienen jornada continuada, es decir, sin interrupción para la comida. En algunos lugares se ha establecido el horario flexible.

En verano, todos los trabajos – excepto los comercios – tienen jornada continuada. Y algunos españoles aprovechan para dormir la siesta, costumbre que los tiempos modernos van eliminando.

Se cena bastante tarde, entre la nueve y las diez. En los restaurantes se sirve la cena hasta las once de la noche.

Entre semana se sale poco de casa después de cenar y la distracción más común es ver la televisión que emite hasta las dos o las tres de la madrugada; los viernes hasta las seis.

Los hijos, Pepe y Cristina, tienen clase de las nueve a las doce de la mañana y de las tres a las cinco de la tarde. Después de las clases, Pepe ve la televisión. La familia cena a las diez de la noche.

♠ Y tú, ¿cómo es tu día? Escribe en español lo que haces durante el día.

La cocina española

La cocina regional

La cocina española es muy variada. Cada región tiene sus especialidades.

En la costa el ingrediente principal de los platos regionales es el pescado: el "pescaíto" frito de Andalucía, la zarzuela de pescado catalana, la merluza a la gallega o el bacalao a la vizcaína en el País Vasco. O las angulas, de todo el litoral.

En el interior, la carne más apreciada es la de cordero. También el cochinillo (cerdo de pocos meses) asado al horno es un plato muy típico. El jamón de Jabugo, de la provincia de Huelva, es el preferido de la península.

En la mayoría de las regiones existe un guiso, muy similar en todas, que lleva legumbres – garbanzos o judías – y carnes – tocino, chorizo y morcilla. Los más apreciados son la fabada asturiana y el cocido madrileño.

En zonas cálidas como Andalucía se toma una sopa fría de vegetales, el gazpacho.
Se cocina con aceite, generalmente de oliva, y se usa mucho el ajo.

La especialidad de Galicia es la empanada. Se hace con carne o con pescado.

◀ *La paella es el plato más famoso de España y viene de la región de Valencia. Su nombre es, en realidad, el del recipiente en que se cocina. Se hace generalmente en el campo y con leña de naranjos. Los ingredientes básicos son arroz, verduras, pollo, aceite, azafrán.*

Con pan y vino se anda el camino

En España se come acompañando la comida con pan. El más corriente es el pan blanco, de trigo, aunque comienza a venderse pan integral. Los españoles compran las barras de pan todos los días para poder comerlo recién hecho. El pan se suele comer sin mantequilla, pero se utiliza para untar las salsas o los huevos fritos.

Hoy los grandes consumidores de pan son los jóvenes. Lo comen en forma de bocadillo que ellos llaman "bocata". Es un trozo de una barra de pan blanco, abierto longitudinalmente por la mitad, donde se pone queso, jamón, tortilla de patata, atún, sardinas o cualquier otra cosa.

El vino, que se produce en casi todas las regiones, ha sido siempre la bebida tradicional de los españoles, aunque ahora la cerveza también es muy común.

En las comidas diarias el vino de mesa se mezcla con gaseosa y se convierte así en una bebida muy refrescante. La sangría también se hace con vino al que se añade gaseosa, hielo, algún alcohol fuerte y frutas.

Los mejores vinos tintos son los de Rioja, Valladolid y el Penedés. Los mejores blancos son los de Rueda y el Penedés. En Galicia hay un vino blanco muy apreciado: el Ribeiro. En Málaga hacen un vino dulce muy estimado y en Jerez se produce uno de los vinos más famosos del mundo. En general, el jerez se toma como aperitivo.

Dulces
Los dulces están unidos a la cocina regional y se toman en fiestas religiosas, por ejemplo el 1° de noviembre se comen huesos de santo, un dulce de mazapán en forma de hueso.

En Navidades, el postre típico es el turrón, dulce hecho con almendras y miel. También se comen polvorones, hechos con harina y manteca.

El día de Reyes se come el roscón, un bollo circular, que lleva dentro un pequeño objeto, una sorpresa.

Los churros son una masa de harina, agua y sal, frita en aceite y se comen mojándolos en chocolate o en café con leche.

Quesos
El queso más conocido es el manchego, hecho con leche de oveja. Procede de La Mancha, pero ahora se hace en toda España.

Otros quesos muy conocidos son el cabrales, queso azul, de sabor fuerte; el idiazábal, ahumado, del País Vasco, y el de Burgos, un queso fresco muy apreciado.

Algunos quesos se hacen con leche de cabra, pero la mayoría se hace con leche de vaca.

Las tapas
Las tapas, pequeñas raciones de comida, son una singularidad de los bares españoles. Tapas son trozos de jamón, calamares fritos, tortilla de patatas, ensaladilla rusa, gambas, pimientos rellenos, y otras muchas cosas.

Las tapas se comen de pie, junto a la barra, acompañadas de un vaso de vino o una cerveza, como aperitivo. A veces sustituyen a la cena.

- ♠ ¿Has probado algún plato español? Describe los ingredientes del plato.
- ♠ Si no has tenido la oportunidad de tomar un plato español de los de estas páginas, ¿cuáles te gustaría probar? ¿Prefieres lo salado o lo dulce?

¿Qué se come?

El desayuno es muy ligero: café con leche, unas galletas o una tostada con mantequilla y mermelada. A media mañana, los trabajadores manuales se toman "el bocadillo" y los funcionarios, un café con leche.

La comida de mediodía es la más abundante. Se compone de un primer plato – un guiso, una sopa, pasta, verdura o ensalada – y un segundo, carne o pescado, y de postre se toma fruta, yogur o flan.

La cena va siendo cada vez más ligera: sopa, verdura o ensalada y una tortilla, un poco de pescado o embutidos. Y de postre, lo mismo que para la comida. Las verduras se sirven aparte, como primer plato, unas veces sólo cocidas, otras salteadas con jamón o chorizo.

Los que desayunan en un bar toman churros o algo de bollería con el café con leche.

Tiempo libre

Los fines de semana

El desarrollo económico y el coche han cambiado las costumbres. Muchos españoles salen de las grandes ciudades el viernes por la tarde para pasar los fines de semana, sobre todo los puentes, en su segunda vivienda.

Para los que se quedan las noches de los viernes y los sábados, las calles, discotecas, cines y restaurantes están más llenos que nunca. Los jóvenes no duermen, se pasan la noche yendo de local en local hasta la madrugada.

Los sábados son días de descanso y de compras – también los domingos se puede comprar en grandes almacenes o hipermercados – y los domingos de vida familiar.

El domingo es un día en que los españoles, mayoritariamente católicos, van a misa. Todos van bien vestidos – endomingados, se decía hace unos años – sobre todo los niños. Luego se da un paseo, se toma el aperitivo, se compran dulces para el postre y se come en familia.

Se aprovecha el fin de semana para ver exposiciones y museos. Allí se ven muchas parejas jóvenes con sus hijos.

¡Hablar!

El tiempo libre es el tiempo de los amigos.

Una de las maneras más corrientes de pasar el tiempo libre es pasear y charlar con los amigos. Los cafés, los bares y, en verano, las numerosas terrazas al aire libre son lugares para reunirse a hablar.

La tertulia fue, en tiempos, una forma muy natural de reunirse en cafés a hablar de temas concretos pero de manera muy libre. Todavía hay tertulias, y aunque parece que hay un renacimiento, ya no es lo mismo que antes.

La sobremesa es una manera más informal de hablar. No es extraño que los españoles se levanten a las cuatro o cinco de la tarde de la sobremesa de una comida o a las dos de la madrugada de una cena.

En los bares aún se ven personas mayores que juegan a las cartas o al dominó. Los españoles son muy aficionados al juego. Cada semana apuestan miles de millones en diferentes loterías y en las quinielas de fútbol.

En el País Vasco las apuestas en los deportes tradicionales son casi una forma de vida.

¿Qué hacemos esta noche?

El ir al cine ya no es la diversión más popular. Se ve más cine que nunca, pero en televisión o en vídeo. Los cines tienen hasta cuatro sesiones diarias. ¡El fin de semana hay sesión a la una de la noche en algunos cines!

La mayor parte de las películas se proyectan dobladas. Así es que no te sorprendas si oyes a las estrellas de Hollywood, Julia Roberts o Tom Cruise, hablando un impecable castellano. Lo mismo en el cine que en la televisión.

En Madrid, Barcelona y alguna ciudad grande hay cines en los que se proyectan versiones originales subtituladas. También lo hacen algunos canales de televisión, a altas horas de la noche.

Los españoles pasan bastantes horas delante de la televisión. Nueve de cada 10 españoles ven la televisión cada día. La televisión emite en España desde las siete o las ocho de la mañana hasta las tres o las cuatro de la noche.

♦ ¿De qué trata *Sangre y Arena*? ¿Puedes verlo en el cartel? ▶

♠ ¿A qué hora es la última sesión en tu país? ¿Es más o menos tarde que en España?

Hoy el teatro es un espectáculo muy minoritario. Sólo hay teatros nacionales con compañía estable en Madrid y en Barcelona. En el resto de las ciudades, hay de vez en cuando espectáculos teatrales de calidad, pero no hay una vida teatral regular.

En los últimos años se ha ido extendiendo – especialmente entre los jóvenes – la costumbre de ir a conciertos, sean de música pop o clásica.

◀ *Los españoles dedican algo de su tiempo libre a leer libros. Se dice que los españoles leen más que nunca, pero el Ministerio de Cultura repite sus campañas en favor de la lectura.*

Si quieres saber lo que pasa en Madrid, lee La Guía del Ocio. ▶

La fiesta nacional

Los toros son la fiesta nacional. Durante la temporada, de marzo a octubre, hay corridas de toros todos los domingos y en la mayoría de las fiestas locales.

Una corrida es un drama en tres actos cuyo prólogo es el paseíllo, la vistosa entrada de los protagonistas – excepto el toro – en el ruedo al compás de un pasodoble.

La corrida comienza con la salida del toro del toril y es entonces cuando el matador estudia la fuerza e inteligencia del toro dándole unos pases con la capa, un trapo rosa por un lado y amarillo por el otro. Los picadores – toreros a caballo – debilitan al toro clavándole la pica.

En el segundo acto los banderilleros clavan banderillas en el lomo del toro. Finalmente el matador queda solo en el ruedo con el toro y comienza la faena de muleta que es la preparación del toro para la hora de la verdad, momento en que el matador mata al toro con la espada. El puntillero lo remata dándole la puntilla.

El presidente de la corrida premia al torero, si su actuación lo merece, con una o las dos orejas del toro.

Los monosabios con sus mulillas sacan al toro muerto de la plaza y limpian la sangre para que la corrida pueda continuar.

Las localidades de sombra son las más caras y las de sol, las más baratas. Una barrera de sombra cuesta el equivalente al salario mínimo de una semana.

◀ *El matador comienza la faena con la muleta en la mano derecha.*

Para muchas personas los toros son un espectáculo tradicional que ofrece una fiesta llena de color y coraje; para otros los toros son una exhibición de crueldad con los animales. En España hay una campaña minoritaria contra los toros, pero siguen siendo la fiesta nacional. ▶

Deportes

Aunque las emisiones televisivas de los Juegos Olímpicos de Barcelona en 1992 y las medallas conseguidas por España han popularizado deportes poco conocidos, el fútbol sigue siendo el deporte nacional.

Todos los domingos, de septiembre a junio, miles de hinchas van a los campos a ver a sus equipos favoritos y otros muchos se quedan en casa oyendo las transmisiones radiofónicas de los partidos o viéndolos por televisión.

Todas las grandes ciudades tienen equipos en primera división: Madrid, Barcelona, Atlético de Madrid, Sevilla, Valencia, Zaragoza y Athletic de Bilbao, son equipos conocidos. Las grandes cantidades de dinero que se pagan en España a los futbolistas han atraido a muchos jugadores extranjeros.

Ahora, el baloncesto es muy popular también en España. Los mejores equipos son el Madrid y el Barcelona. También juegan extranjeros, sobre todo norteamericanos y grandes estrellas de los países del Este.

El español medio no hace demasiado deporte, pero la reciente construcción de numerosas instalaciones deportivas impulsa a los jóvenes a la práctica del deporte.

♠ ¿Conoces los nombres de otros deportistas españoles? ¿Cuáles son los deportes que practican?

◀ *Uno de los equipos más conocidos es el Real Madrid, ganador de la Copa de Europa 6 veces, de la Liga española 23 veces y 15 de la Copa del Rey.*

Aquí se ve un partido entre el Real Madrid (vestido de blanco) y el Atlético de Madrid en el Estadio Bernabéu.

El ciclismo ha sido siempre un deporte bastante popular. En la actualidad un ciclista como Miguel Induráin (arriba) es una figura conocida, lo mismo que otros deportistas: la tenista Arantxa Sánchez Vicario o el jugador de golf Severiano Ballesteros.

Deportes vascos

En el País Vasco hay deportes singulares: el corte de troncos, el arrastre de piedra con bueyes y las traineras. Los *aizkolaris* (cortadores de troncos) y los *arrijasotzales* (levantadores de piedras) son héroes populares. Pero el deporte nacional es la pelota. En todos los pueblos hay un frontón que es algo así como una enorme pista de squash.

Las apuestas son casi tan importantes como el deporte.

La pelota se juega generalmente por parejas y los jugadores van vestidos de blanco con faja azul o roja.

Se puede golpear la pelota con la mano, con una pala de madera o una cesta. Los jugadores lanzan la pelota contra el muro tratando de que no pueda alcanzarla el contrario.

Hoy se juega a cesta punta también en México y Florida.

Fiesta

Fiestas regionales

Todas las ciudades y pueblos de España tienen su patrón o patrona, un santo o una santa que, según las creencias religiosas, protege a los habitantes. Cada día del año está dedicado a varios santos y cuando llega el día del patrón se celebran fiestas en su ciudad.

Se adorna la ciudad, se instalan las ferias con tiovivos, norias, autos de choque y tómbolas. Todos comen, beben y bailan hasta muy tarde. Por las noches hay fuegos artificiales.

La mayor parte de las fiestas son en verano y hay corridas de toros, encierros o vaquillas.

En algunas fiestas salen gigantes – grandes figuras de cartón – y cabezudos – personas normales con enormes cabezas de cartón. Los gigantes representan personajes de la historia de España como reyes moros, el Cid y los Reyes Católicos, o personajes literarios como Don Quijote.

Un cabezudo

◀ *Las Fallas son unas fiestas de origen medieval que los carpinteros preparaban para homenajear a su patrón, San José.*

Durante todo el año los artistas valencianos trabajan en la construcción de las fallas, grupos escultóricos hechos de madera y cartón pintados, que son representaciones satíricas y humorísticas de problemas y personajes de la actualidad.

Las fallas están en las calles durante las fiestas y se queman todas el día de San José, el 19 de marzo, excepto una figura que pasa a un museo.

Los "sanfermines" son las fiestas que se celebran en Pamplona, del 7 al 14 de julio, en honor a San Fermín. Todos los días a las ocho de la mañana hay encierro – los toros van corriendo por las calles de la ciudad desde el corral hasta la plaza y con ellos los hombres. El encierro es peligroso y todos los años se producen cogidas y a veces hay muertos. Por las tardes, los toros que han participado en el encierro actúan en la corrida. ▶

Calendario de fiestas

En febrero: Se celebran carnavales en Cádiz y Tenerife.
En marzo: En Valencia celebran las Fallas, fiesta de su patrón San José.
En abril: La feria de Sevilla se celebra con sus caballos, casetas y trajes andaluces.
En mayo: La romería del Rocío, en Ayamonte (Huelva) es una procesión a caballo o en carromatos hasta la iglesia de la Virgen del Rocío. En Madrid celebran las fiestas de San Isidro, famosas por sus corridas de toros.
En junio: El día de San Juan, la fiesta del verano, se celebra especialmente en Alicante.
En julio: San Fermín es famosa por sus encierros.
En octubre: El 12, el día nacional, celebra Zaragoza las fiestas de su patrona, la Virgen del Pilar.

Navidad

Las Navidades empiezan en España con el tradicional sorteo de lotería – 22 de diciembre – y terminan el 6 de enero, día de los Reyes Magos. La noche del nacimiento de Cristo, el 24 de diciembre, es Nochebuena y se celebra en familia en torno al belén. Muchos católicos asisten a las 12 de la noche a la misa del Gallo. El 25, día de Navidad, se reúne la familia para la comida navideña.

El 28, el día de los Inocentes, como el 1° de abril en otros países, es un día de bromas entre amigos y, a veces, hasta en los medios de comunicación.

La Nochevieja – 31 de diciembre – se celebra en casa delante del televisor o en restaurantes. Hay una gran fiesta popular en la Puerta del Sol de Madrid donde se reúnen miles de personas a oír las 12 campanadas que anuncian el año nuevo y se comen las 12 uvas que darán suerte para el año que empieza. El día de Año Nuevo es un día dedicado, sobre todo, a descansar de la fiesta.

♠ ¿Coinciden algunas fiestas españolas con las de tu país?
♠ ¿Qué diferencias hay entre la manera de celebrar la Navidad en España y en tu país?

En España no son tradicionales el árbol de Navidad ni Papá Noel, aunque comienzan a popularizarse. Los niños siguen esperando a los Reyes Magos, que les traen los regalos la noche del 5 al 6 de enero. Los Reyes Magos vienen en camellos desde Oriente y dejan los regalos en los zapatos que han puesto los niños en el balcón.

En la cabalgata, desfile de los Reyes, la noche del 5, por las calles de la ciudad, los niños ven ahora con naturalidad que los Reyes vengan en camiones llenos de juguetes y no en camellos.

Semana Santa

Las procesiones – paseo de cofrades, vestidos con ropajes singulares, con su paso, grupo escultórico transportable que representa alguna escena de la vida o pasión de Cristo – son el elemento fundamental de la Semana Santa. En algunas ciudades, los pasos son obra de notables escultores.

En las procesiones de Andalucía, la Semana Santa más famosa, hay personas que cantan saetas (una canción flamenca) dirigidas generalmente a la Virgen o a Cristo. En algunas zonas de Aragón, las procesiones van acompañadas por la música de cientos de tambores.

Cofrades con su paso

¡Monumental!

La historia reflejada en la arquitectura

Los diferentes pueblos que invadieron la península han dejado su huella en numerosos monumentos, lo que da a la arquitectura española una enorme variedad. Hay en España muestras de todos los estilos arquitectónicos europeos.

Arte romano (del año 100 a.C. hasta el 400 d.C.): Quedan arcos de triunfo, teatros, puentes, acueductos y, en los suelos de las viviendas, espléndidos mosaicos.
Arte visigótico: Han quedado pocas muestras, una de ellas es la iglesia de San Juan de Baños (Palencia).
Arte árabe (entre el año 711 y 1492): Del arte musulmán quedan muchos alcázares, mezquitas y palacios. La Alhambra y la Giralda son ejemplos de este estilo.

Como el Corán prohibe la representación de la figura humana, se utilizaban en la decoración flores y figuras geométricas.

Hay dos variedades de arte árabe que sólo existen en España: **el mozárabe**, hecho por cristianos que vivían en áreas árabes, y **el mudéjar**, por árabes que vivían en una zona cristiana.

Estos dos estilos mezclan rasgos árabes, ladrillo, azulejos y arcos, con el románico y el gótico. Se conservan numerosas iglesias y otros edificios mudéjares, sobre todo en Aragón.
Arte románico (de 1000-1200): Las iglesias y monasterios románicos son construcciones sólidas, sencillas, de piedra, con muros gruesos, ventanas pequeñas y arcos de medio punto.

El estilo romano: el arco de triunfo de Medinaceli.

El estilo mudéjar: las partes más antiguas de la catedral de Tarazona datan de los siglos XII y XIII.

♦ De todos los edificios que ves en estas páginas ¿cuál es el más antiguo? ¿Y el más moderno?

◀ *El estilo árabe: la mezquita de Córdoba.*

El estilo románico: el monasterio de Santo Domingo de Silos.

El estilo gótico: la catedral de Burgos.

Arte gótico (de 1200 a 1500): Catedrales espaciosas, amplios ventanales con vidrieras de colores y arcos en ojiva.

El final del arte gótico se llama en España **plateresco** (siglo XVI) porque su rica decoración recuerda el elaborado trabajo de los plateros.

Estilo herreriano: En el siglo XVI, como reacción contra el exceso de decorado del plateresco surge un estilo austero, creación del arquitecto Juan de Herrera. Levanta monumentos colosales, de fachadas desnudas, donde reina la línea recta.

Arte barroco (finales del siglo XVII y XVIII): Como reacción a la simplicidad del estilo herreriano se desarrolla el barroco con curvas y decoraciones muy elaboradas. Un arquitecto, José Churriguera, dio nombre al barroco español: **estilo churrigueresco**.

Arte neoclásico (s. XVIII): la vuelta a las formas griegas y romanas es el origen de un estilo arquitectónico plasmado en monumentos notables como la Puerta de Alcalá y el Museo del Prado, en Madrid.

El estilo plateresco: la Universidad de Salamanca.

El estilo herreriano: El monasterio de El Escorial, obra de Juan de Herrera, es el ejemplo más representativo.

♠ ¿En tu país se ven algunos de los estilos arquitectónicos que hay en España? En ese caso, ¿cuáles son?

El estilo barroco: la Plaza Mayor de Salamanca.

¡Un estilo muy particular!

A principios de este siglo, en pleno modernismo, uno de los arquitectos más conocidos de España fue el catalán Antoni Gaudí (1852-1926).

Muchos de sus fantásticos y sorprendentes edificios, la mayoría de ellos en Barcelona, han sido declarados monumento nacional. El tejado de la Casa Batlló tiene la forma de un dragón y los balcones parecen máscaras. En el Parque Güell las casas, escaleras y bancos, decorados con mosaicos, parecen sacados de cuentos de hadas.

▲ *En su obra más famosa, el monumental templo de la Sagrada Familia, incorporó Gaudí elementos del gótico y del barroco.*

¿Has visto?

Obras maestras del pasado

A partir del siglo XVI hay muchos nombres que le dan a España una posición destacada en la pintura mundial.

En primer lugar citamos El Greco (1541–1614), pintor de origen griego, cuyo nombre real era Domenikos Theotokopoulos. Llegó a España llamado por Felipe II, pero al rey no le gustó el extraño estilo del pintor. El Greco se retiró a Toledo donde trabajó el resto de su vida, identificándose totalmente con esa ciudad.

Se ha tardado años en reconocer la calidad de este arte ascético, de figuras alargadas, con ojos brillantes de visionarios, colores vivos y luz dramática. Su obra maestra, *El entierro del Conde de Orgaz*, está en Toledo.

A la derecha, el cuadro Jesucristo expulsa a los mercaderes del templo. ▶

Diego Velázquez nació en 1599 en Sevilla, y es el pintor español más famoso de todos los tiempos. Fue pintor de la corte de Felipe IV. Gran retratista, Velázquez hizo muchos retratos tanto del rey y su familia, como de sus bufones y gentes del pueblo.

Es el pintor de la perfección, que plasma fría y objetivamente la realidad, con una serenidad que llega a parecer indiferencia.

Abajo, la obra maestra Las Meninas *presenta a la princesa Margarita, hija de Felipe IV, asistida por meninas, a la enana Mari Bárbola y al propio Velázquez pintando el cuadro. Los reyes, Felipe IV y Mariana de Austria, se reflejan en el espejo.*

Francisco de Goya nació en 1746 en Fuendetodos, provincia de Zaragoza, y se le considera como uno de los padres de la pintura moderna.

Pintó la vida de su época en los cartones costumbristas que hizo para la Real Fábrica de Tapices. Fue pintor de la corte de Carlos IV.

En su obra satírica *Los caprichos*, grabados en planchas de cobre, presenta su visión crítica de las costumbres de su tiempo, y en *Los desastres de la guerra* la indignación que le produjo la crueldad de la invasión francesa, y, en general, la de todas las guerras.

Años después, envuelto en profundo pesimismo, se retiró a su quinta y allí pintó unos frescos, conocidos como "pinturas negras".

En sus últimos años, y dada la represión que inició Fernando VII a su vuelta al trono, se exilió a Burdeos donde murió en 1828.

Abajo, el cuadro La Maja Vestida *de Goya.*

Pintores del siglo XX

En este siglo, el nombre de Picasso representa la mayor revolución en la historia de la pintura. Pablo Picasso nació en Málaga, en 1881, pero trabajó casi toda su vida en Francia.

En sus principios pintó los cuadros que pertenecen a sus épocas azul y rosa – en ésta abundan los motivos circenses. En 1907, junto con un pintor francés, Georges Braque, y otro español, Juan Gris, lanzó el cubismo, la mayor revolución de la pintura contemporánea.

Picasso hizo cerámica y escultura, ilustró libros, escribió teatro y pintó murales. El Guernica, que está en el Museo Reina Sofía de Madrid, es su obra más conocida.

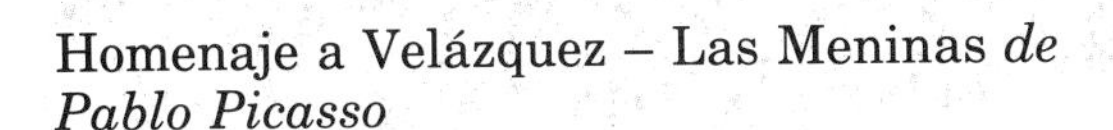

Homenaje a Velázquez – Las Meninas *de Pablo Picasso* ▶

Salvador Dalí (1904–89) y Joan Miró son también dos artistas de fama internacional. El primero, de formación académica, fue uno de los grandes pintores y animadores del movimiento surrealista (hizo con Luis Buñuel la película *El perro andaluz*) hasta que fue expulsado de él por sus declaraciones a favor de Hitler.

Ilustrador de libros, escenógrafo, diseñador de joyas, su carácter excéntrico y su genio publicitario lo han convertido en un artista muy conocido.

Joan Miró (1893–1983) comenzó como pintor realista, luego surrealista, y terminó creando un estilo muy personal de pintura ingenua, llena de humor, de imaginación desbordante y precioso colorido. Hizo también escultura y cerámica. Partidario de la República se exilió a Francia durante la Guerra Civil.

En los últimos años, los pintores Antoni Tàpies, Antonio López, Equipo Crónica, Antonio Saura, Eduardo Arroyo y Miguel Barceló son conocidos en todos los países del mundo.

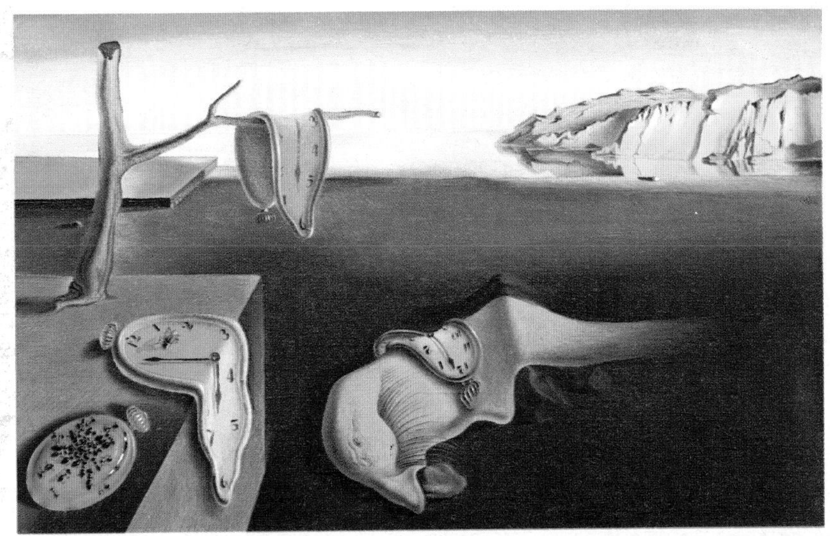

La persistencia de la memoria *de Salvador Dalí.*

♦ Mira *Las Meninas* de Velázquez y la obra de Picasso en homenaje a dicho pintor.
  1 ¿En qué estilo pintó su obra Picasso?
  2 ¿Cuáles son las personas y los elementos que ves en los dos cuadros?
  3 ¿Cuáles son los elementos que cambió Picasso en su cuadro?

♠ ¿Has visto una obra de arte española en una galería, en una exposición o en un libro?
  1 ¿Cómo se titula la obra?
  2 ¿Qué tipo de cuadro era:
    – un paisaje?
    – un retrato?
    – una naturaleza muerta?
  3 ¿Cómo eran los colores – muy vivos o más bien oscuros?

¿Has leído?

Los comienzos de la literatura

◀ El Poema de Mio Cid *(1140), uno de los primeros libros escritos en castellano, es una obra maestra.*

En La Celestina ▶ *(1499), Francisco de Rojas crea un personaje inmortal: la vieja alcahueta o celestina.*

Muy característicos de España son los romances, poemas narrativos de versos octosílabos y de autor anónimo que se transmiten oralmente. Luego se recopilaron y publicaron a partir de principios del siglo XV en Romanceros.

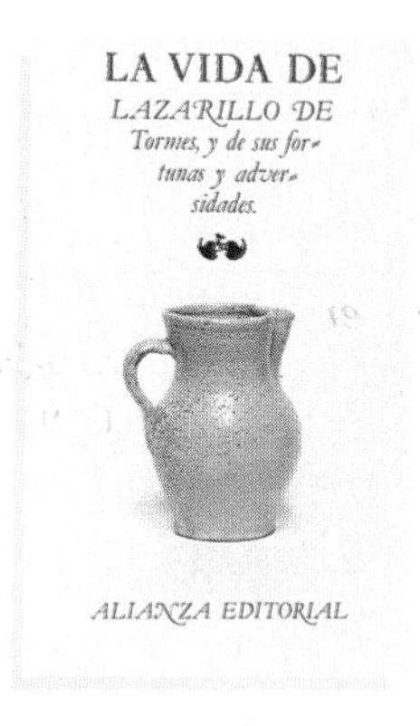

El Lazarillo de Tormes *(1554) es la primera novela picaresca, género literario típicamente español.* El Lazarillo *es una novela realista, autobiográfica, de sátira social, con un protagonista que tiene que aguzar el ingenio para sobrevivir en el mundo en que le ha tocado vivir.*

Don Quijote

La decadencia y la crisis económica española van acompañadas de un espléndido auge cultural en el siglo XVI al que se llama el Siglo de Oro.

Miguel de Cervantes (1547-1616) es el escritor español más conocido en el mundo. Cervantes fue herido en la batalla de Lepanto, luego fue capturado por unos piratas y pasó cinco años preso en Argel.

En 1605 publicó su obra maestra *El ingenioso hidalgo don Quijote de la Mancha*. El éxito le movió a escribir una segunda parte que publicó 10 años más tarde.

La novela es la narración de las aventuras de un hidalgo, Don Quijote. Trastornado por sus innumerables lecturas de novelas de caballería, sale en su viejo caballo, Rocinante, a buscar aventuras. A Don Quijote, que se cree un caballero andante, lo acompaña un escudero, Sancho Panza, en realidad un campesino del pueblo.

Es la historia del enfrentamiento entre la realidad existente y la que ve Don Quijote con su fantasía distorsionada. Ataca, por ejemplo, contra las advertencias de Sancho Panza, a unos molinos de viento convencido de que son gigantes. Las aventuras terminan mal. Los ideales de justicia, amor y honor son derrotados por el sentido común o la triste realidad.

El libro es un reflejo de la decepción de una España decadente. Y también la expresión de rasgos del carácter español: el idealismo del caballero y el realismo de su escudero.

El teatro

El Siglo de Oro

En el Siglo de Oro, la comedia era el arte popular por excelencia.
Lope de Vega (1562-1635), coetáneo de Shakespeare, es, además de un gran poeta, el creador del teatro español. Nos dejó más de 400 comedias, unas que trataban hechos históricos, como *Fuenteovejuna*, y otras de capa y espada, como *El perro del hortelano*, que reflejaban las costumbres de su tiempo.
Pedro Calderón de la Barca (1600-1681), es autor de un teatro más elaborado, menos popular que el de Lope. Escribió autos sacramentales y obras de caracter filosófico, como *La vida es sueño*.
Tirso de Molina (1584-1648) es el creador del personaje del Don Juan, tan utilizado en la literatura universal.

La Versión
El Autor
La Compañía
El Montaje

TEATRO CLÁSICO
Calderón de la Barca
El Alcalde de Zalamea
MINISTERIO DE CULTURA

Una de las obras maestras de Calderón de la Barca es El alcalde de Zalamea, *una comedia histórica.*

El siglo XX

En el siglo XX, hay dos grandes dramaturgos: Ramón del Valle Inclán (1866-1936) y Federico García Lorca (1899-1936). La novedad formal del teatro de Valle Inclán impidió que se hiciese popular. El de Lorca, más convencional e inspirado en la vida y la tragedia de los pueblos andaluces, fue y sigue siendo el teatro español más representado en todo el mundo. Los aficionados al teatro conocen sus piezas *Bodas de sangre, Yerma* y *La casa de Bernarda Alba.* Lorca, que también fue un gran poeta, fue fusilado por los franquistas durante la Guerra Civil.

Centro Dramático Nacional. Teatro María Guerrero. (3) / ☎ 419 47 69 / Tamayo y Baus, 4; Centro / *Metro* Banco y Colón / Director: José Carlos Plaza / Temporada 89-90.
—**Comedia sin título,** de Federico García Lorca. Reparto (por orden de intervención): Alfonso del Real, Pedro del Río, Chema de Miguel Bilbao, César Sánchez, Cesáreo Estébanez, Juan Polanco, Marisa Paredes, Imanol Arias, Joaquín Molina, Carmen Rossi, Juan Echanove, Miguel Zúñiga, Francis Lorenzo. Música: Josep Maria Arrizabalaga. Escenografía y vestuario: Fabià Puigserver. Dirección: Lluís Pasqual. Reposición, del 6 de septiembre al 1 de octubre. 8.30 tarde. ¡Improrrogable! Venta anticipada a partir del 4 de septiembre. Lunes, descanso. Miércoles, precio reducido. Horario taquilla: de 11.30 a 13.30 y de 17 a 21 horas.

♦ Lee el anuncio de la representación de Lorca y contesta a las preguntas.
1 ¿Cómo se titula la obra?
2 ¿Hay función todos los días?
3 ¿Quién dirige la obra?
4 ¿Puedes sacar la entrada a la hora de la comida?

El Premio Nobel de literatura

En los últimos 40 años, tres españoles han recibido el Premio Nobel de literatura: dos poetas, Juan Ramón Jiménez (1956) y Vicente Aleixandre (1977), y un novelista, Camilo José Cela (arriba) en 1989.

¿Has oído?

Notas musicales

En el Siglo de Oro hubo músicos españoles conocidos en toda Europa, como Antonio de Cabezón, compositor de piezas para órgano y clave, y Tomás de Vitoria, famoso por su música polifónica y sus motetes.

Entre los compositores modernos son muy conocidos: Isaac Albéniz por su suite para piano, *Iberia,* y Enrique Granados por sus composiciones para piano, *Goyescas*. Pero Manuel de Falla (1876-1946) es el más famoso. Sus ballets *El amor brujo* y *El sombrero de tres picos* son muy representados.

Entre los compositores de hoy destacan: Luis de Pablo y Cristóbal Halffter.

El concierto de Aranjuez *de Joaquín Rodrigo es la composición española más interpretada internacionalmente.*

La ópera no ha sido un arte español. Pero sí la zarzuela que es una especie de opereta, típicamente española. En la zarzuela se combinan diálogo y canción.

Casi todas las zarzuelas se escribieron a finales del siglo pasado y son de ambiente madrileño. Los aficionados, como los de la ópera, conocen perfectamente los argumentos y van sobre todo a escuchar a los intérpretes.

La guitarra, cuyo origen es un instrumento árabe de cuerda, se identifica con España. Desde el siglo XVI se ha incorporado a casi toda la música española. Gaspar Sanz y Fernando Sor son dos compositores de piezas para guitarra clásica. Pero fundamentalmente la guitarra es el instrumento de la música popular y, sobre todo, del flamenco.

Aunque en España no haya un Teatro de Opera estable, hay grandes cantantes de ópera como Montserrat Caballé, Teresa Berganza, Plácido Domingo, José Carreras, Alfredo Kraus y Victoria de los Ángeles.

Bailes regionales

Cada región tiene su música y su baile popular. En Galicia se baila la muñeira siguiendo una música de gaitas. En Aragón se baila la jota con música de guitarras y bandurrias y en el País Vasco se baila el aurresku con chistularis, músicos que tocan a la vez chistu y tamboril. En Castilla se bailan diferentes tipos de jotas y otros bailes.

El baile tradicional de Cataluña es la sardana. La música la proporciona una cobla, que es una banda de músicos aficionados de la región. Durante la época de Franco este popular baile estuvo prohibido por ser una expresión del nacionalismo catalán.

La sardana se baila en corro. El origen de la sardana parece ser un baile de adoración del sol.

El flamenco

No es sólo el ritmo de las castañuelas y la guitarra lo que acompaña al baile flamenco, sino también el cante y el sonido de las palmas y del zapateado.

Los hombres llevan un traje negro ajustado con chaquetilla corta y botas de tacón, y las mujeres faldas largas con faralaes, de vivos colores.

El baile comienza lentamente y luego va acelerando hasta llegar a un paroxismo de sonido y movimiento.

El baile más conocido y más característico es el baile de Andalucía: el flamenco. Es una mezcla de folclor árabe, judío y gitano que se expresa en canto y baile.

El origen del flamenco se remonta al año 1000. Los gitanos que se asentaron en España en el siglo XV lo desarrollaron. Todavía hoy son los gitanos los mejores intérpretes del flamenco. Y uno de los sitios más típicos para contemplarlo son las cuevas del Sacromonte en Granada.

El cante jondo es el más puro, el que no contiene elementos modernos. El flamenco, sí los tiene. El baile más conocido son las sevillanas. El sonido de las castañuelas es un acompañamiento esencial del baile flamenco. Traídas a España por los fenicios, los bailarines de los países mediterráneos llevan utilizando las castañuelas 3.000 años.

El flamenco es andaluz pero hay espectáculos de flamenco – los llamados tablaos – en otras partes de España.

♠ ¿Cuál es tu música preferida? ¿Te gusta más la música clásica o la música pop?
♠ ¿Conoces algunos grupos españoles? ¿Cuáles son?

Música pop

La mayoría de los jóvenes escuchan la misma música que los del resto del mundo occidental, tal como U2 o Prince. Ahora también son muy populares algunos grupos españoles de rock y pop. Los nombres son tan extraños como en los demás países: Celtas cortos, Presuntos implicados, Mecano, Modestia aparte.

El cantante español más internacional es Julio Iglesias. Canta en español, en italiano, en francés, en portugués, en alemán y en inglés. Recibió el premio "Disco de Diamante" por haber vendido más de cien millones de discos en seis idiomas.

Caleidoscopio español

Entre los muchos aspectos curiosos de la vida española les ofrecemos esta miscelánea.

Las 22 medallas

Fermín Cacho ganó los 1500 metros para España en los Juegos Olímpicos de Barcelona de 1992.

Los españoles, a pesar del extraordinario éxito que significó ganar 22 medallas en la Olimpiada de Barcelona, aún no se creen que su país sea una potencia deportiva mundial.

Castillos y alcázares

Castillos y alcázares eran construcciones militares. Cuando los árabes conquistaron la península defendían su territorio con fortificaciones: eran los alcázares.

Los cristianos construían los castillos para defender los terrenos que ganaban en la Reconquista. Tantos se construyeron en la Meseta que le dieron a la región su nombre, Castilla, tierra de castillos.

En la foto se ve el alcázar de Segovia.

Las cigüeñas

La inconfundible silueta de estas aves, insólita en los inviernos de la mayor parte de Europa, es frecuente en España donde se quedan a invernar en la punta de los campanarios.

El juego

El AVE

El tren de alta velocidad, que alcanza los 250 kilómetros por hora, une Sevilla con Madrid.

El Rastro

En muchas ciudades españolas hay mercadillos de ocasión. El más conocido es el de Madrid, El Rastro. ¡Allí se pueden encontrar las cosas más insólitas!

El piropo

Las palabras de admiración, más o menos atrevidas, que el hombre español dirigía a una mujer, conocida o desconocida, en su intento de manifestar su admiración platónica o iniciar una conversación, van desapareciendo.

Los cementerios

El día 1 de noviembre, día de Todos los Santos, es un día en que se visitan las tumbas de los familiares y se adornan con flores.

En los cementerios hay grandes panteones, suntuosas construcciones donde se entierran a los miembros de las familias ricas.

◀ *Además de las numerosas variantes de loterías (entre las que destacan la nacional y el cupón de los ciegos) y apuestas deportivas hay en España unos 20 casinos para satisfacer la pasión nacional por el juego.*

España es junto con Estados Unidos y Filipinas el país donde más se juega del mundo. En 1992 los españoles dedicaron al juego más de tres billones (3.000.000.000.000) de pesetas.

Introducción a América Latina

¿Qué es América Latina?

América es uno de los cinco continentes. Tiene la forma de dos triángulos (América del Norte y América del Sur) unidos por un istmo. Está situada entre dos grandes océanos, el Atlántico y el Pacífico, y tiene una longitud de 16.000 kilómetros.

América Latina comprende los territorios que están al sur del río Grande, frontera de EE.UU. y México, y llega hasta el cabo de Hornos. Su longitud es de unos 12.000 kilómetros.

Estados Unidos (EE. UU.)
México
Cuba
Jamaica
Haití
Puerto Rico
República Dominicana
Belice
Honduras
Guatemala
El Salvador
Nicaragua
Costa Rica
Panamá
Océano Pacífico
Río Orinoco
Venezuela
Surinam
Guayana francesa
Guayana
Colombia
Río Amazonas
Ecuador
Brasil
Perú
Bolivia
Paraguay
Río Paraná
Chile
Océano Atlantico
Argentina
Uruguay
Cabo de Hornos
donde el castellano es lengua oficial

Un poco de geografía

En América Latina hay paisajes variados:

La sierra

La cordillera de los Andes se extiende desde Panamá hasta el cabo de Hornos, en una longitud de más de 7.000 kilómetros. Su pico más alto es el Aconcagua que mide 6.960 metros.

La costa

La costa de América Central, Colombia y Ecuador es tropical. En Perú y en el norte de Chile la costa es desértica. En el desierto de Atacama hay zonas donde no ha llovido nunca.

La selva

En América Central y en la zona amazónica hay grandes selvas tropicales. El río Amazonas es el más caudaloso del mundo. También en Venezuela hay grandes selvas cruzadas por el río Orinoco.

◀ *Hoy día uno de los problemas ecológicos mundiales es la incontrolada explotación de la selva amazónica que puede tener consecuencias gravísimas para el clima mundial.*

La sierra

Los habitantes

En América Latina hay una gran mezcla de razas. Se puede decir que el mestizaje es una de sus características.

Los conquistadores se mezclaron con la población indígena y de ahí salieron los mestizos. Luego se importaron negros de África para trabajar en las minas y en el campo. La unión de esclavos negros con los blancos dio el mulato. Estas nuevas razas se mezclaron entre sí creando una infinidad de variantes.

A esto hay que añadir las migraciones de finales del siglo XIX y del XX constituidas, sobre todo, por españoles, italianos, alemanes, polacos y japoneses.

Soy venezolano.

Soy mexicana.

Las islas

En el mar de las Antillas o Caribe hay unas islas de clima cálido y suelo muy fértil: son las Antillas. Entre ellas están: Cuba, Hispaniola (con Haití y la República Dominicana), Puerto Rico y Jamaica. Allí viven casi 30 millones de personas.

Los primeros españoles que llegaron a la isla de Cuba contaban que era el país más hermoso que habían visto.

El canal

El canal de Panamá, inaugurado en 1914, une a los dos grandes océanos, el Atlántico y el Pacífico, y facilita considerablemente las comunicaciones.

La zona del canal, ocho kilómetros a cada lado del canal, está bajo soberanía norteamericana. Según el tratado de 1978 será devuelta a Panamá en el año 2000.

♦ Relaciona el nombre con su descripción geográfica.

1 América Latina
2 El río Grande
3 El canal de Panamá
4 El cabo de Hornos
5 La selva amazónica
6 El Aconcagua
7 El desierto de Atacama

a ... es el pico más alto de los Andes.
b ... está en la punta más meridional de América del Sur.
c ... es uno de los lugares más secos del mundo.
d ... tiene importancia para el clima mundial.
e ... une los océanos Atlántico y Pacífico.
f ... forma frontera con los Estados Unidos.
g ... comprende América del Sur, América Central, las Antillas y un país de América del Norte.

Antes de la Conquista

Las civilizaciones precolombinas

Antes de la llegada de Colón había, en lo que es hoy América Latina, civilizaciones muy avanzadas.

Los mayas

Antes de la llegada de Cristóbal Colón los pueblos que vivían en el Nuevo Mundo habían alcanzado altos niveles de civilización. En territorios del actual México, Guatemala y Honduras, los mayas habían creado una de las culturas más originales de América. Su máximo desarrollo coincidió con la caída del imperio romano, el año 476 d.C.

Los mayas eran buenos matemáticos (fueron los inventores del cero) y astrónomos y tenían un calendario muy exacto. La religión y, por tanto, los sacerdotes desempeñaban un importante papel en la vida de la colectividad.

Los mayas construyeron magníficos templos en México y Guatemala: Palenque, Uxmal (arriba) y Chichén Itzá.

Los aztecas

A mediados del siglo XV, los aztecas eran el pueblo dominante en el territorio que hoy se llama México.

En 1325 los aztecas habían construido la ciudad de Tenochtitlán en medio de una laguna en la zona central de México.

Los aztecas eran un pueblo guerrero, gobernado por un emperador. Cuando capturaban prisioneros los sacrificaban a sus dioses y ofrecían la sangre al dios del sol para que se moviese en el cielo.

Los sacerdotes tenían un gran poder ya que gracias a sus calendarios podían señalar el tiempo adecuado para sembrar y cosechar.

Quetzalcóatl, representado como una serpiente emplumada, era uno de los principales dioses aztecas.

Los incas

Hacia el siglo XI los incas crearon un imperio, el Tahuantinsuyo, que llegó a ser, en el siglo XVI, uno de los más grandes del mundo.

Se extendía por lo que es hoy Ecuador, Perú, Bolivia, norte de Chile y de Argentina, y en él vivían unos 15 millones de habitantes. Su capital era Cuzco. Todo el poder estaba en manos del soberano, el Inca.

La base de la sociedad era el *ayllu*, comunidad de familias que cultivaban colectivamente el campo. Hablaban quechua, idioma que aún se habla en las zonas montañosas del Perú.

En las montañas de la selva, a 2.450 metros de altura, los incas construyeron la ciudad de Machu Picchu.

Un "Nuevo Mundo"

El 12 de octubre de 1492 Cristóbal Colón, un marino genovés al servicio de los Reyes Católicos, llegó a la isla de Guanahani, a la que llamó San Salvador. Dos meses antes había salido del puerto de Palos de Moguer en España en busca de un camino a las Indias por el oeste.

Al llegar a tierra, Colón, convencido de que había llegado a las Indias, llamó indios a los habitantes. El descubrimiento de un "Nuevo Mundo" por los europeos fue el comienzo del imperio español.

Cristóbal Colón (1451-1506) cruzó el Atlántico con tres carabelas, la Santa María, la Pinta y la Niña. ▶

La conquista de México

Después de descubrir el Nuevo Mundo, los españoles se instalaron en las islas del Caribe desde donde organizaron la exploración del continente desconocido.

En 1519 salió al mando de Hernán Cortés una expedición que desembarcó en la costa oriental de México. Aliado con los pueblos indígenas cansados de soportar el dominio azteca, Cortés se dirigió a la capital, Tenochtitlán.

Cuando el emperador y sumo sacerdote de los aztecas, Moctezuma II, oyó que habían llegado unos hombres blancos, creyó que era el dios Quetzalcóatl que volvía. Según la leyenda, este dios, que se representaba como un hombre con barba, se había marchado hacia el este con la promesa de volver un día.

Por eso Moctezuma recibió a los españoles con regalos. Cortés se instaló en la capital. Poco después, los aztecas se sublevaron al mando de Cuauhtémoc, sucesor de Moctezuma, ya muerto, lo que obligó a Cortés a abandonar la capital azteca en la famosa Noche triste, 30 de junio de 1520. Pero unido a los tlaxcaltecas, Cortés reorganizó sus tropas y volvió a conquistar Tenochtitlán en abril de 1521.

Así ve el pintor mexicano Diego Rivera a Tenochtitlán, espléndida capital de los aztecas construida sobre un lago, antes de la llegada de los españoles. En primer plano vemos escenas del mercado y en el centro una figura de blanco que es el emperador.

La conquista de Perú

Dos militares establecidos en Panamá, Francisco Pizarro y Diego Almagro, oyeron las noticias de las inmensas riquezas de un legendario reino, El Dorado. En 1532 se dirigieron con sus tropas a los territorios del imperio inca que, a su llegada, estaba dividido por las luchas dinásticas.

En el pueblo de Cajamarca, los españoles capturaron al Inca, Atahualpa. Como rescate pidieron una habitación llena de oro y aunque el Inca se la entregó para salvar su vida, lo condenaron a muerte. Luego se dirigieron a Cuzco, ciudad que conquistaron tras largas luchas con los incas.

La conquista del Perú no terminó felizmente para sus protagonistas. Pizarro y Almagro se lanzaron a una cruel guerra fratricida que terminó con la muerte de ambos.

¿Cómo se explica que un puñado de soldados pudiesen conquistar, en pocos años, un inmenso continente en que había ejércitos poderosos? Por un lado, por la superioridad del armamento y la sorpresa causada por los caballos, las armaduras y el ruido de los fusiles. También pudo influir la habilidad de los conquistadores para aprovechar los conflictos entre los diferentes grupos indígenas.

Francisco Pizarro

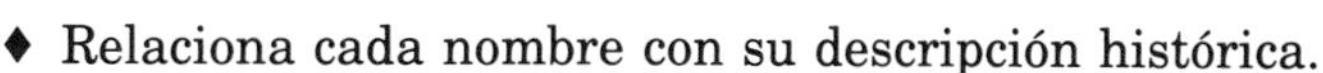

♦ Relaciona cada nombre con su descripción histórica.

1	Atahualpa	**a**	. . . es un emperador azteca.
2	Cortés	**b**	. . . es un templo maya.
3	Palenque	**c**	. . . es el conquistador de Perú.
4	Pizarro	**d**	. . . es un dios azteca.
5	Moctezuma	**e**	. . . es el emperador de los incas.
6	Quetzalcóatl	**f**	. . . es el conquistador de México.

De la colonia ...

Las nuevas colonias

La recompensa de los conquistadores fueron las encomiendas. El rey les dio a los conquistadores las tierras de los pueblos indígenas encomendándoles que evangelizasen las almas y cuidasen del bienestar de sus pobladores.

A los indígenas se les prohibieron sus religiones y se construyeron iglesias sobre sus templos. Miles de indios fueron cristianizados a la fuerza. Se les impedía continuar su forma de vida tradicional. Ello provocó sublevaciones, por ejemplo la de Tupac Amaru, en Perú, en 1780.

La economía de las colonias se basó en la explotación del trabajo de los indios en las minas de metales preciosos (por medio de la mita) y en el campo (por la encomienda). Ambas eran, en la práctica, una forma de trabajo esclavo disfrazada de solicitud cristiana. A los indígenas se les obligaba a trabajar muy duro y millones murieron de penalidades y enfermedades.

Para proteger a los indios, España había promulgado "Las leyes de Indias" en las que se reconocía la igualdad de razas, pero nadie las cumplía. Para asegurar la mano de obra y proteger la vida de los indios se empezaron a importar esclavos de África.

Por medio del "Exclusivo Metropolitano" España tenía el monopolio absoluto del comercio con sus colonias. Las flotas españolas llevaban a la península, cuando lograban sortear a los piratas ingleses, ricos cargamentos de oro y plata, y volvían con productos de la península.

La decadencia obligó a España a hacer concesiones en su monopolio y a finales del siglo XVIII se llegó a la libertad de comercio.

Organización política y social

El rey de España era también rey de las colonias. En el siglo XVIII la América española estaba dividida en cuatro virreinatos gobernados por virreyes, que representaban al rey.

En España, el Consejo de Indias trataba los asuntos del Nuevo Mundo.

En las colonias se estableció una rígida jerarquización social. Debajo del virrey, en la pirámide social, estaban los peninsulares, funcionarios de la administración colonial, y un poco más abajo los criollos, los descendientes de los españoles nacidos en América. En la base de la pirámide estaban los mestizos, los indios y los negros.

Los criollos mantuvieron sus tierras de generación en generación, no se sentían españoles y tampoco les gustaba que los peninsulares tuviesen los mejores puestos en la administración. Aunque los criollos tenían el poder económico, los peninsulares, por medio del virrey, tenían el poder político.

. . . a la independencia

1814-1824: La independencia

A pesar de la censura, las ideas liberadoras de la Ilustración – soberanía popular, división de poderes y libertad – llegaron a las colonias, a través de la prensa y los libros.

Esas ideas habían sido uno de los motores de la Revolución francesa y de la Independencia norteamericana, dos hechos que sirvieron de estímulo para la independencia de América Latina.

A principios del siglo XIX, la abdicación del rey Carlos IV, exigida por el emperador francés Napoleón, rompió el lazo que unía a las colonias con la madre patria. Los criollos no sentían ninguna lealtad por el rey francés que había puesto Napoleón en el trono de España. Y, mientras los españoles defendían su país contra las tropas francesas, proclamaban la independencia las colonias americanas.

En México fue un cura, Miguel Hidalgo, el que reclamó la independencia en 1810, además de la abolición de la esclavitud y la reforma agraria. Fue derrotado y fusilado. Luego otro sacerdote, José María Morelos, siguió su ejemplo y su destino. Fusilados ambos, se convirtieron en los primeros mártires de una independencia que México no logró que hasta 1821.

El cura Miguel Hidalgo, llamado en México "el padre de la patria", retratado por el pintor mexicano José Clemente Orozco.

Héroes de la independencia

Los dos grandes nombres de libertadores sudamericanos son Simón Bolívar y José de San Martín.

Bolívar liberó Colombia, Venezuela y Ecuador y con ellos formó después la República de Gran Colombia. Luego, en 1824, ayudó a la liberación del Perú enviando a su general Sucre.

El sueño de Bolívar era crear unos Estados Unidos de América del Sur, pero poco antes de morir vio dividirse a su Gran Colombia.

Simón Bolívar, el Libertador (1783-1830)

♠ Si Bolívar hubiese creado los Estados Unidos de América del Sur, ¿qué ciudad crees que habría sido la más apropiada como capital?

¿Habría sido:
- una ciudad situada en el centro del continente?
- una ciudad situada en la costa para facilitar las comunicaciones?
- una ciudad situada cerca de América del Norte para facilitar las relaciones con los vecinos del norte?

José de San Martín (1778-1850)

José de San Martín fue el gran libertador del sur del continente. Liberó Argentina y luego participó con el general Bernardo O'Higgins en la liberación de Chile.

Si la conquista había sido rápida no lo fue menos la independencia. Apenas catorce años tardó en liberarse todo el continente, excepto Cuba y Puerto Rico que no fueron independientes hasta 1898.

De la independencia...

Comienza la independencia

El periodo que siguió a la independencia no fue un camino de rosas. Pronto se mezclaron los militares en la política. Utilizaron los ejércitos que habían conseguido la independencia para obtener privilegios e intervinieron con frecuencia en la vida política. Los golpes de estado se convirtieron en algo cotidiano y la dictadura militar en una forma de gobierno muy común.

La idea de Bolívar de formar los Estados Unidos del Sur no prosperó. Las grandes potencias trabajaron para que no se lograse la unidad. Las luchas intestinas provocaron una gran fragmentación y en pocos años se crearon casi veinte países, políticamente muy inestables.

La debilidad de estos países favorecía la intervención de empresas y países extranjeros. La independencia política desembocó en dependencia económica, primero de Inglaterra, y luego de Estados Unidos.

La doctrina Monroe, "América para los americanos", fue la política con que Estados Unidos había impedido la intervención de los países europeos y ayudado a la independencia de las colonias españolas. En el siglo XX se convirtió en un instrumento de intervención estadounidense en todo el continente. ▶

El caso de México

La evolución de México puede servir como ilustración de la historia de los demás países latinoamericanos.

Entre 1834 y 1848 México tuvo 23 presidentes. En esos años de debilidad Estados Unidos invadió el país y se apoderó de más de la mitad del territorio mexicano: Texas, California, Nuevo México, Colorado, Arizona y Utah.

Retrato del presidente Benito Juárez (1806-72)

En 1858 llegó a la presidencia Benito Juárez, quien trató de hacer reformas para lograr el progreso del país. Grupos poderosos lo combatieron y estalló una guerra civil. Hubo intervención extranjera en la que Estados Unidos apoyó a Juárez. Durante un breve periodo entre 1862-6 hubo un emperador extranjero, Maximiliano I, apoyado por Francia.

Después de Juárez ocupó la presidencia Porfirio Díaz. Su política favoreció a la iglesia católica, a los ricos y a los inversionistas extranjeros.

Eran los peones sin tierras los que seguían sufriendo penurias económicas. El 97 por ciento de la tierra estaba en manos del uno por ciento de los propietarios. Esta situación provocó el estallido de la revolución mexicana en 1910. Los líderes campesinos, Pancho Villa y Emiliano Zapata, lograron derrocar al presidente y promulgar una nueva constitución.

Más tarde, en 1938, México nacionalizó su petróleo, ante la indignación norteamericana.

. . . hasta nuestros días

Vida económica

A finales del siglo XIX y principios del XX, las riquezas de América Latina eran explotadas por empresas extranjeras. La agricultura se orientó al monocultivo. En cada país se cultivaba un sólo producto para la exportación en lugar de los necesarios para la vida de los habitantes. En Cuba era la caña de azúcar, en América Central plátanos y café, en Colombia café y en Argentina trigo y carne.

Las relaciones de los países latinoamericanos se hacían, como durante la colonia, con países exteriores y no entre ellos.

En el mundo había un gran mercado para las materias primas y los productos agropecuarios. Los grandes latifundistas, los ganaderos y las empresas extranjeras hicieron grandes fortunas, pero los peones sin tierra siguieron en la misma situación de pobreza.

Inspeccionando cafetos en Costa Rica. Aproximadamente el 30 por ciento de los ingresos de exportación de Costa Rica los proporcionan el café y los plátanos. ▶

La mayor mina del mundo a cielo abierto es la de Chuquicamata, Chile. La mina produce la tercera parte del cobre chileno. El 34 por ciento de los ingresos de exportación de Chile procede del cobre. ▶

A la izquierda Pancho Villa y a la derecha Emiliano Zapata. Los campesinos hicieron suyo el eslogan "Tierra y libertad".

Puesto de algunos países latinoamericanos en la estadística mundial

Productos agrícolas		
Café	Colombia	2º productor
Plátanos	Ecuador	4º productor
Maíz	México	4º productor
Haba de soja	Argentina	4º productor
Productos mineros		
Plata	México	1º productor
	Perú	3º productor
Cobre	Chile	2º productor
Antimonio	Bolivia	2º productor
Petróleo	México	5º productor

♠ ¿Has visto productos de América Latina en las tiendas de tu país? ¿Cuáles son?

América Latina, hoy

Los últimos años

La injusticia y la miseria económica provocan gran inquietud social. Para tratar de acallar o resolver los problemas de la pobreza en los países latinoamericanos a lo largo del siglo, se ha recurrido a dictaduras militares o a revoluciones. En este siglo, el único país que se ha salvado de este dilema es Costa Rica.

Los años 60 fueron una década de revoluciones armadas y guerrillas que terminaron derrotadas. Años después, la victoria de la revolución en Nicaragua y su derrota en las elecciones mostraron las insuperables dificultades para la verdadera liberación económica y social.

También Cuba sufre grandes dificultades, a causa del derrumbe del socialismo y del bloqueo estadounidense.

En los años 70 se fueron cerrando los mercados mundiales a las materias primas latinoamericanas, cuyos precios, además, bajaron. Tampoco la industria latinoamericana era competitiva. La crisis del petróleo agravó la situación y se implantaron dictaduras militares para detener la protesta social. Pero no fue una buena solución y, en los años 80, volvieron regímenes civiles que trataron de sacar adelante los países pauperizados.

En Cuba la revolución encabezada por Fidel Castro triunfó en 1959 e inició una serie de grandes reformas, entre ellas, la reforma agraria.

Para evitar que otros países siguiesen el ejemplo cubano, el presidente estadounidense John Kennedy lanzó en los años 60 un programa de ayuda al desarrollo de América Latina llamado Alianza para el Progreso, pero no tuvo éxito.

El éxodo campesino

La falta de tierra – secuela histórica de la encomienda – sigue provocando la emigración del campo a la ciudad. Los campesinos huyen no sólo de la miseria sino también de la violencia y la represión que los persigue en el campo.

Esa es la causa del crecimiento de las ciudades. En la Ciudad de México, con sus 20 millones de habitantes, viven millones en suburbios infrahumanos. Esta ciudad es hoy la más populosa del mundo y tal vez una de las más contaminadas.

Los niños son las principales víctimas de la terrible situación de los suburbios.

Para muchos campesinos el camino de la emigración no se detiene en la ciudad sino que tiene como meta el rico vecino del norte y, en estos momentos, los puertorriqueños, cubanos, mexicanos y centroamericanos constituyen una de las minorías más importantes en los Estados Unidos.

Presente y futuro

Hoy en día el pesimismo domina en los análisis de futuro que hacen los especialistas. Los problemas originados por la crisis económica del continente son graves y no se sabe cómo solucionarlos. Y son muchos: el hambre, el paro – que en algunos países llega al 30 por ciento de la población activa – , el analfabetismo – inexistente en países como Costa Rica y Cuba, llega al 65 por ciento en Haití – , la alta mortalidad infantil – por ejemplo en Paraguay y Haití – , la lamentable situación de la vivienda para millones de personas, la explotación del trabajo infantil, el deterioro del medio ambiente, el narcotráfico y la criminalidad que éste conlleva.

Ahora más mucho se habla de la inmensa deuda externa – el dinero que deben los países del continente a otros países – como causa del subdesarrollo económico. Pero también comienza a hablarse de la cooperación entre los países latinoamericanos para salir de la crisis.

Sin embargo el asentamiento de la democracia en América Latina es un signo alentador. Los éxitos conseguidos por Colombia en la lucha contra la droga o por Argentina en la lucha contra la inflación hacen concebir esperanzas.

La incorporación de México al TLC (Tratado de Libre Comercio) con EE UU y Canadá y los intentos de ampliarlo a los países de Centroamérica indican la confianza en que la cooperación contribuya a solucionar los problemas económicos.

Los mismos esfuerzos están realizando los países del cono sur – la creación de Mercosur (Mercado Común del Sur) – para llegar a la cooperación que proporcione soluciones comunes.

España siempre ha tenido, debido a la historia y a la hermandad lingüística y cultural, buenas relaciones con América Latina. En la actualidad estas relaciones son muy intensas debido a que España es para los países latinoamericanos el puente de unión natural con la Comunidad Europea y una posibilidad de ayuda financiera y técnica.

La transición española a la democracia ha provocado la admiración en los países de América Latina.

Derechos humanos

Las violaciones de los derechos humanos en América Latina han sido muy numerosas. En la defensa de las víctimas o la denuncia de los criminales han destacado personas de todo tipo.

El Premio Nobel de la Paz, distinguió a dos de ellos: en 1980 al argentino Pérez Esquivel y en 1992 a la guatemalteca Rigoberta Menchú (derecha).

A mediados de los años 80 hacía falta uno de estos billetes para pagar el autobús en Buenos Aires. Ahora la inflación en Argentina está controlada.

La iglesia católica en América Latina tuvo desde sus inicios dos caras: la de la iglesia unida al poder que evangelizaba a los indígenas a la fuerza, y la de la iglesia protectora de los indios y de los esclavos negros. Heredera de esta última es la que incitó a la independencia en México y también la de la teología de la liberación de hoy.

Cultura hispanoamericana

La época precolombina

Se llama arte precolombino a las espléndidas manifestaciones artísticas que encontraron los españoles al llegar al Nuevo Mundo.

El Popol Vuh, *libro religioso que algunos han llamado la "biblia maya", recoge mitos mayas sobre la creación del mundo y los hombres, y también tradiciones anteriores a la conquista. Escrito en el siglo XVI en lengua maya-quiché, se tradujo al castellano en el XVIII.*

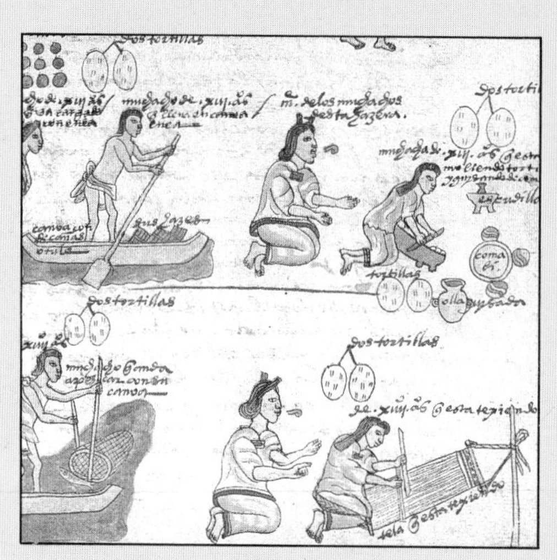

Los mayas y aztecas dibujaban sus historias, mitos y tradiciones sobre pergaminos. Las palabras españolas que hay al lado de los dibujos las escribieron los conquistadores.

En este códice azteca una madre enseña a su hija a hacer tortillas de maíz.

Este enorme calendario azteca está ahora en el Museo Nacional de Antropología e Historia de la Ciudad de México. El año tenía 18 meses de 20 días, más cinco días adicionales.

En Colombia se conservan en el Museo del Oro de Bogotá miles de figuras de oro que muestran la extraordinaria habilidad de los chibchas en el trabajo de este metal precioso.

Literatura

Durante los últimos 20 años la literatura latinoamericana se ha difundido por todo el mundo. La obra de García Márquez o de Vargas Llosa ha sido traducida a muchos idiomas.

Pero ya en el siglo XVII, escritores de la talla de Sor Juana Inés de la Cruz o, en el XIX, de José Martí, en Cuba, y, sobre todo, del poeta nicaragüense Ruben Darío habían influido en la literatura en lengua castellana.

En el siglo XX el premio Nobel se ha concedido a cinco escritores latinoamericanos: a los poetas chilenos Gabriela Mistral y Pablo Neruda, al mexicano Octavio Paz, y a los novelistas Miguel Angel Asturias, guatemalteco, y Gabriel García Márquez, colombiano (derecha). ▶

Sor Juana Inés de la Cruz (1648-1695) fue una de las poetas mexicanas más importantes.

◀ *El escritor José Martí nació en Cuba en 1853 y murió en 1895 en la lucha por la independencia. La mayor parte de su obra tiene un objetivo político y social. La conocida canción* Guantanamera *se basa en un poema suyo.*

Los muralistas

Los grandes muralistas mexicanos José Clemente Orozco, Diego Rivera y David Alfaro Siqueiros querían hacer pintura revolucionaria para el pueblo.

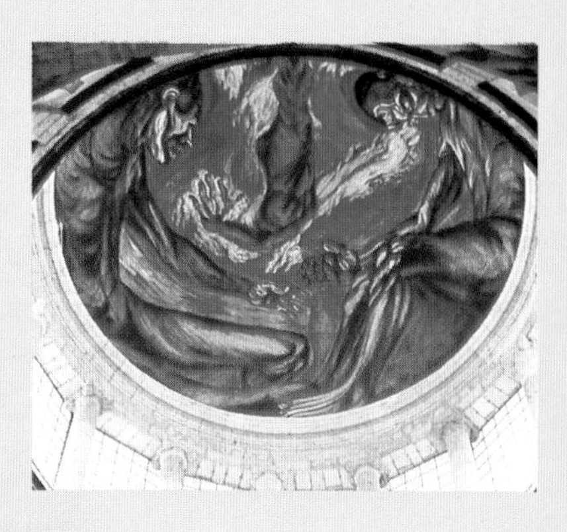

Este mural Hombre de fuego *es obra de José Clemente Orozco (1883-1949). Está en Guadalajara, México, donde nació el muralista.* ▶

◀ *Diego Rivera (1886-1957) ha pintado toda la historia de su país en este mural del Palacio Nacional de México.*

Esculturas del Nuevo Mundo

Los olmecas hicieron enormes esculturas de piedra primorosamente trabajadas.

◀ *El artista colombiano Fernando Botero parece seguir su ejemplo en sus inmensas esculturas.*

Arquitectura

La arquitectura de la colonia es la que llevaron los españoles, modificada después por los criollos.

Casas de estilo colonial de un barrio de Bogotá, Colombia.

En Quito, capital de Ecuador, hay 86 iglesias. La Compañía, construida en el siglo XVII, obra maestra del barroco colonial, es una de las más hermosas.

El edificio de la Bolsa es uno de los edificios más altos de Ciudad de México. Es obra del arquitecto mexicano Juan José Díaz Infante y se terminó en 1990.

Música

Esta imagen de un tango, el baile típico de los argentinos, está en una calle de Buenos Aires, capital de Argentina.

El tango nació en la región del Río de la Plata en el siglo XVIII o XIX.

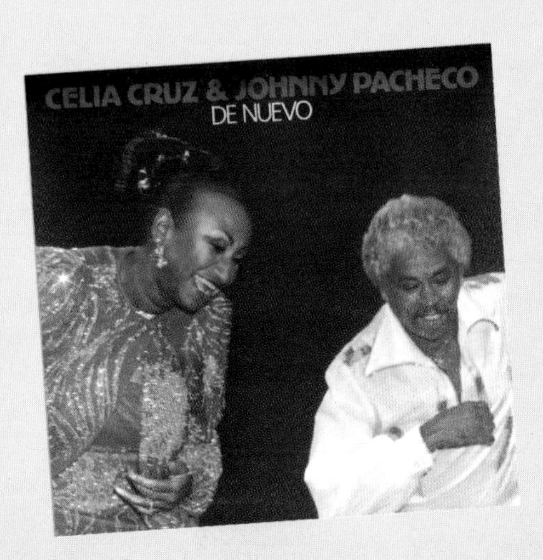

La salsa nació en Cuba alrededor de 1920. Se notan en ella influencias de la música de los esclavos africanos.

Ejercicios

¿De dónde eres?

A Los puntos cardinales

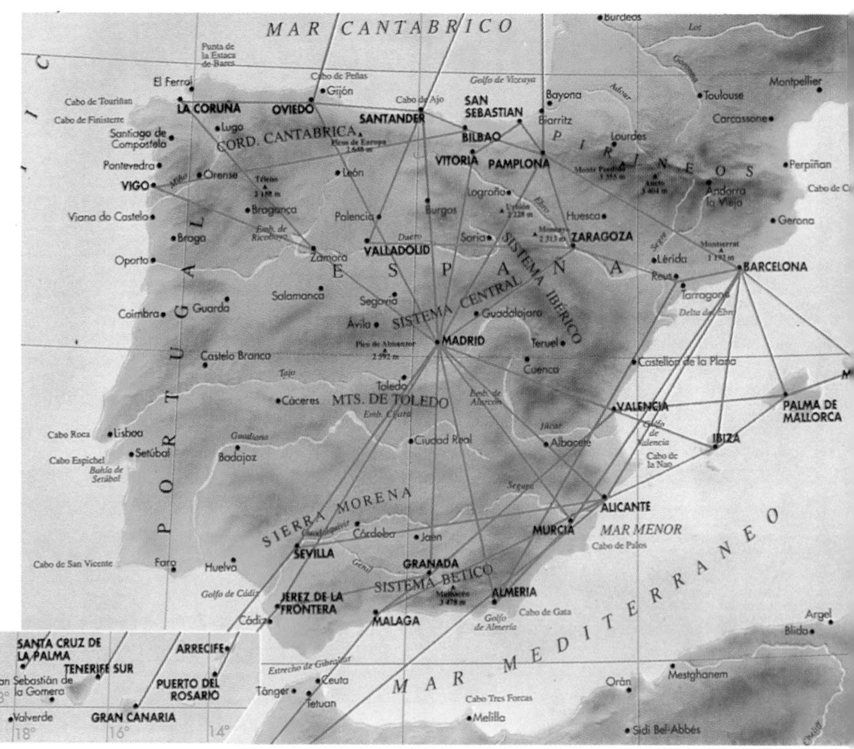

La compañía aérea Aviaco tiene vuelos desde la capital, Madrid, que está en el centro de España, a unas veinte ciudades españolas.

Entre algunas ciudades hay también vuelos que no pasan por Madrid. Así desde Valladolid, en el interior de España, hay un vuelo directo a Zaragoza, en el noreste.

Contesta a las preguntas.

1 La Coruña está en el noroeste de España. ¿Está en la costa o en el interior? ______________________

____

2 ¿Dónde está Zaragoza? ______________________

____

3 Murcia está en el sureste. ¿Cuál es la ciudad más próxima por avión?

____

____

4 ¿A qué ciudades hay vuelos desde Sevilla? ¿Dónde están esas ciudades? Selecciona tres ciudades que estén en puntos cardinales diferentes y describe dónde están.

Utiliza expresiones de este tipo: *en el norte / sur / este / oeste del país, en la costa del norte, en el interior, al norte / sur / este / oeste de, cerca de.*

Ejemplo:
Almería está al sur de Madrid. Está en la costa del mar Mediterráneo.

a ______________________

____

b ______________________

____

c ______________________

____

5 ¿Entre qué ciudades españolas va el vuelo directo más largo del mapa? ______________________

____

B ¿Qué tiempo hace?

1 Relaciona cada símbolo con la expresión correcta.

a Hace frío.	☐	**d** Hace viento.	☐	**g** Nieva.	☐
b Hace calor.	☐	**e** Hace fresco.	☐	**h** Está nublado.	☐
c Hace sol.	☐	**f** Llueve.	☐	**i** Hay tormentas.	☐

C El mapa meteorológico

1 Mira el mapa y contesta a las preguntas.
a ¿En qué parte de España llueve?
b ¿Dónde nieva?
c ¿Hace mal tiempo en el norte?
d ¿Dónde querrías estar tú? ¿Por qué?

2 ¿Qué tiempo hace hoy donde estás tú? ¿Cuántos grados hace? ¿Sobre cero o bajo cero?

El tiempo, el 5 de diciembre

D  ¿Tú no eres de aquí?

Escucha la cinta. Dos personas nos cuentan de dónde son y nos dicen algo del tiempo que hace allí. Mientras escuchas puedes rellenar la ficha.

Nombre	¿De dónde es?	¿Dónde está?	¿Qué tiempo hace allí?	
			En verano	En invierno
Marisol				
Roberto				

E ¿Y tú?

Trabaja en parejas.

A: Tú eres un español/una española.
Pregúntale a **B**:
- de dónde es.
- dónde está.
- qué tiempo hace allí en verano y en invierno.

B: Tú eres tú. Contesta a las preguntas de **A**.

F Un folleto turístico

Escribe un folleto informativo para hacer propaganda turística del lugar donde vives.
Explica:
- dónde está situado.
- cómo es el clima.
- cómo se puede ir allí – en tren, en avión . . .
- qué atracciones tiene.

Selecciona una o dos fotos apropiadas y escribe el pie de las fotos.

¿Cómo voy?

A ¿Vamos en metro?

Todas las ciudades y la mayoría de los pueblos tienen una oficina de turismo. Allí te informarán de lo que hay que ver, te darán un plano de la ciudad, un plano de los autobuses y folletos. Dentro de la ciudad te puedes desplazar a pie, en autobús, o, si estás en Madrid o Barcelona, en metro.

El metro de Madrid tiene más de cien estaciones. Hay diez líneas, y cada línea tiene un número y un color. Se puede cambiar en las estaciones donde se cruzan dos líneas.

Es más barato comprar un billete para diez viajes que comprar diez billetes sencillos.

1 Estás en Opera, en la línea 2, y quieres ir a la Plaza de Castilla, en la línea 1. ¿Cómo vas?
Ejemplo: *Primero cojo la línea . . . hacia . . . y luego cambio en . . . a la línea . . .*

____

____

____

____

2 Estás en Gran Vía, en el enlace de la línea 5 con la línea 1. Quieres ir a Argüelles, en la línea 4. ¿Cómo vas?

____

____

____

____

3 Estás en Atocha, en la línea 1, y quieres ir a la Ciudad Universitaria, en la Línea 6. ¿Cómo vas?

____

____

____

____

4 Estás en la Avenida de América y quieres ir al Retiro. ¿Qué línea hay que tomar? ¿Hay que cambiar? ¿Dónde? ¿Cuántas estaciones hay?

____

____

____

____

B ¿Cómo puedo ir a…?

Trabajad de dos en dos. Una persona vive en la pequeña ciudad del plano, la otra es turista. Preguntad y contestad según el modelo, cambiando de roles cada vez.

Ejemplo:

– Perdón, ¿dónde hay una oficina de turismo?
– Siga todo derecho hasta la calle de San José. Allí dobla a la derecha y luego toma la primera bocacalle a la izquierda. La Oficina de Turismo está en la esquina.
– Muchas gracias.

1 ¿Dónde está el hotel Goya, por favor?
2 La estación, ¿está aquí cerca?
3 Perdón, ¿para ir a la plaza de toros?

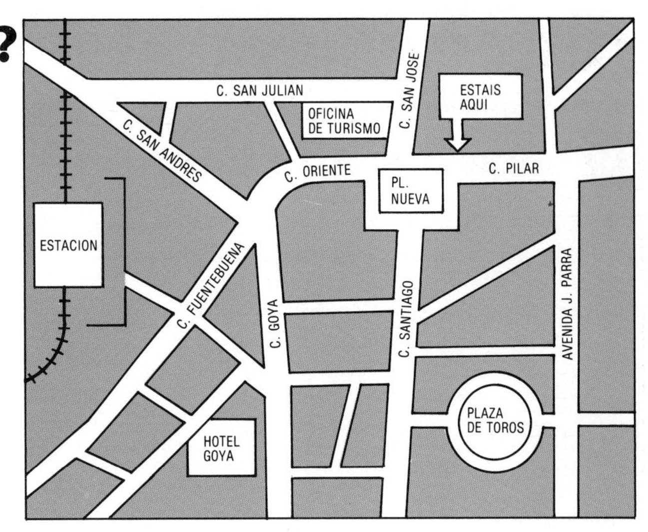

C Paseo por Madrid

1 Vas a oír lo que dice un guía, que va con un grupo de turistas por el centro de Madrid. Mientras escuchas, sigue en este plano el camino del grupo y escribe "Plaza Mayor" en el sitio correcto.

2 Después de la visita turística, uno de los participantes pregunta cómo puede ir a su hotel en la Plaza del Callao. Sigue en el plano las instrucciones del guía, y escribe "Puerta del Sol" y "Plaza del Callao" en el sitio correcto.

3 Después de escuchar la cinta, cuenta algo de la Puerta del Sol y de la Plaza Mayor.

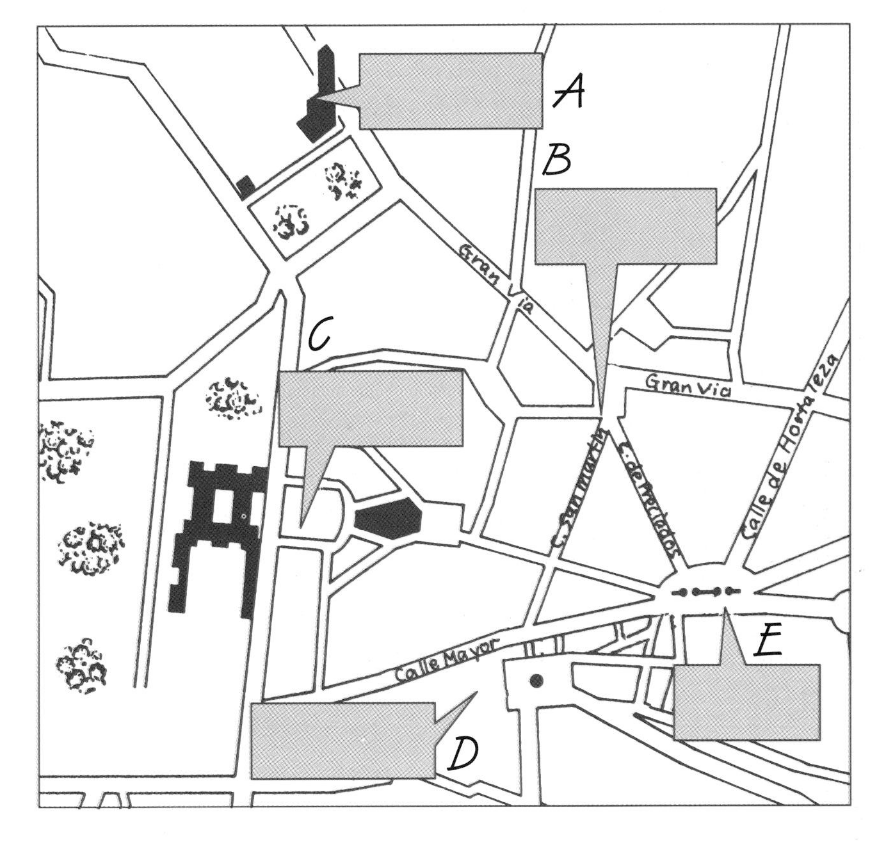

D La ciudad donde vivís

Imaginaos que las autoridades de la ciudad o del pueblo donde vivís quieren hacer un folleto turístico, y os encargan a vosotros escribir la versión española.

Primero tenéis que poneros de acuerdo sobre lo que queréis mostrar. Luego os podéis dividir en grupos para describir en español dos o tres paseos turísticos.

¡Buen viaje!

A ¡Vamos a España!

Estos españoles han estado de vacaciones o en viaje de negocios en el extranjero. Ahora vuelven a España. ¿En qué medios de transporte viajaron a España?

1 Enrique Lozano y su familia viajaron en ______________________

2 Alicia Ruiz ______________________

3 María Salvat ______________________

4 Mikel Arza ______________________

B En la agencia de viajes

Trabajad en parejas y haced un nuevo diálogo entre el empleado de una agencia de viajes y un cliente. El cliente quiere saber cuál es la manera más barata de ir de Madrid a Barcelona, sólo ida, y a qué hora puede ir. El cliente no fuma.

TRANSPORTES

Aeropuertos

MADRID - BARCELONA

El primer vuelo es a las **7.00 h.** El segundo, a las **7.15 h.** A partir de las **7.45 h.**, un vuelo cada hora hasta las **22.45 h.** El último, a las **23.45 h.**

BARCELONA - MADRID

El primer vuelo es a las **7 h.** El segundo, a las **7.15.** A partir de las **7.30** hay un vuelo cada hora hasta las **22.30 h.**

Precios: Turista: Ida, 10.820. Primera clase: 14.065. Turista: I/v, 22.500. Primera: 28.130.

Estación Chamartín

MADRID-BARCELONA

Hora	Tipo	Precios ida (Ptas.) Primera clase	Segunda clase
11.00	Talgo	7.245	5.300
11.30	Diurno	4.765	3.100
15.15	Talgo P.	7.355	5.415
21.40	Estrella	4.765	3.100
22.55	Talgo camas	5.955	4.140
23.30	Estrella	12.925 (individual)	8.625 (doble)

C Un billete para Málaga

Escucha la conversación entre un cliente y el empleado de una agencia de viajes. Después de escuchar podrás terminar las frases siguientes.

1 El precio del viaje a Málaga en avión es

____

2 El billete de tren vale ______________________________

____

3 El viaje en autobús cuesta ______________________________

____

4 Los días azules (cuando se viaja más barato) son ______________________________

____

5 El cliente había pensado ir el ______________________________

____

6 Los autobuses son cómodos: tienen

____

____

7 El cliente tiene que estar en Málaga a las

____

____

8 Según el horario, el autobús llega a las

____

9 El cliente puede estar tranquilo, porque

____

____

En el banco y en correos

A Billetes y monedas

Una peseta

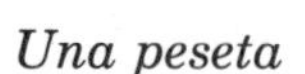

Cinco pesetas

Veinticinco pesetas

Cincuenta pesetas

Cien pesetas

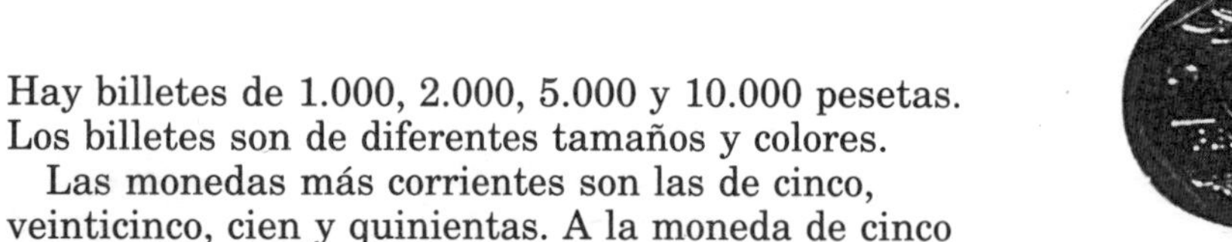

Hay billetes de 1.000, 2.000, 5.000 y 10.000 pesetas. Los billetes son de diferentes tamaños y colores.

Las monedas más corrientes son las de cinco, veinticinco, cien y quinientas. A la moneda de cinco pesetas se le llama también "un duro".

Doscientas pesetas

Quinientas pesetas

Ejemplo:

> *Hay un billete de dos mil, uno de mil, una moneda de quinientas, dos de veinticinco y un duro.*

a

b

1 ¿Qué billetes y qué monedas puedes identificar en las fotografías?

a ______________________________

____

____

b ______________________________

____

____

B Pequeño vocabulario bancario

¿Qué significan estas palabras en tu idioma?

a cambiar ______________________

b firmar ______________________

c la caja ______________________

d el cheque de viaje ______________________

____

e cobrar ______________________

C En correos

En una oficina de correos hay muchas ventanillas distintas para diferentes servicios. No puedes, por ejemplo, comprar sellos en la misma ventanilla donde cobras un giro postal. Escucha la cinta y escribe en qué ventanillas se podrían oír las conversaciones.

SELLOS | GIRO POSTAL | PAQUETES | CERTIFICADOS | TELEGRAMAS

a Ventanilla para ______________________

b ______________________

c ______________________

d ______________________

D Tengo que mandar un paquete

Has pasado un mes en España y ahora vas a volver a tu país. Como has comprado muchos libros y varios regalos para tu familia, tu maleta pesa demasiado. Vas a correos para mandar un paquete de libros a tu país. Aquí tienes las respuestas de los empleados de correos. ¿Qué dices tú?

1 Tú: ______________________

____

Empleado: Esta es la ventanilla de certificados. Tiene usted que ir a la de paquetes.

2 Empleado en la ventanilla para paquetes: ¿Qué desea?

Tú: ______________________

Empleado: ¿Es para España?

Tú: ______________________

Empleado: Entonces tiene que rellenar esta etiqueta.

Tú: ¿ ______________________ ?

Empleado: Es para la aduana. ¿Qué hay en el paquete?

Tú: ______________________

Empleado: Vamos a ver cuánto pesa. A ver...1.240 gramos. Son 740 pesetas.

Tú: ______________________

Empleado: 260 pesetas de vuelta. **Tú:** ______________________

De vacaciones

A En el hotel

Hay hoteles de cinco categorías. La categoría más lujosa tiene cinco estrellas, la más sencilla, una.

GRAN HOTEL DELFIN *****
Playa de Poniente. La Cala. Benidorm. Alicante.
Tel. (96) 585 34 00.
Situado al borde de la Playa en una de las zonas más tranquilas de Benidorm. Todas sus habitaciones disponen de baño completo, teléfono, TV vía satélite, música ambiental, aire acondicionado y terraza. El hotel completa sus instalaciones con bar-americano, dos restaurantes, cafetería, sala de TV, peluquería, terrazas y jardines, pista de tenis, piscina, boutique, zona de juegos infantiles y parking.

SITIO CENTRICO	PISCINA	PARQUE INFANTIL
EDIFICIO HISTORICO	SALA DE CONVEN-CIONES	HABITACIONES CON SALON O SUITES
GARAJE	MEDICO	AIRE ACONDICIONADO EN SALON
BUS A ESTACION	CAJA FUERTE INDIVIDUAL	TELEVISION
CALEFACCION	PELUQUERIA	TELEFONO EN LA HABITACION
JARDIN	TIENDAS	BINGO
GUARDERIA	CAMBIO DE MONEDA	AIRE ACONDICIO-NADO EN COMEDOR
ACCESOS MINUSVALIDOS	ADMITE PERROS	AIRE ACONDICIO-NADO EN HABITACIONES

1 Señala con un marcador fluorescente los signos que son adecuados para el Gran Hotel Delfín.

2 El hotel ofrece varias cosas para las que no hay signos. ¿Cuáles son?

____

____

B En una habitación de hotel

Mira esta habitación de hotel. Relaciona el nombre correcto con los números.

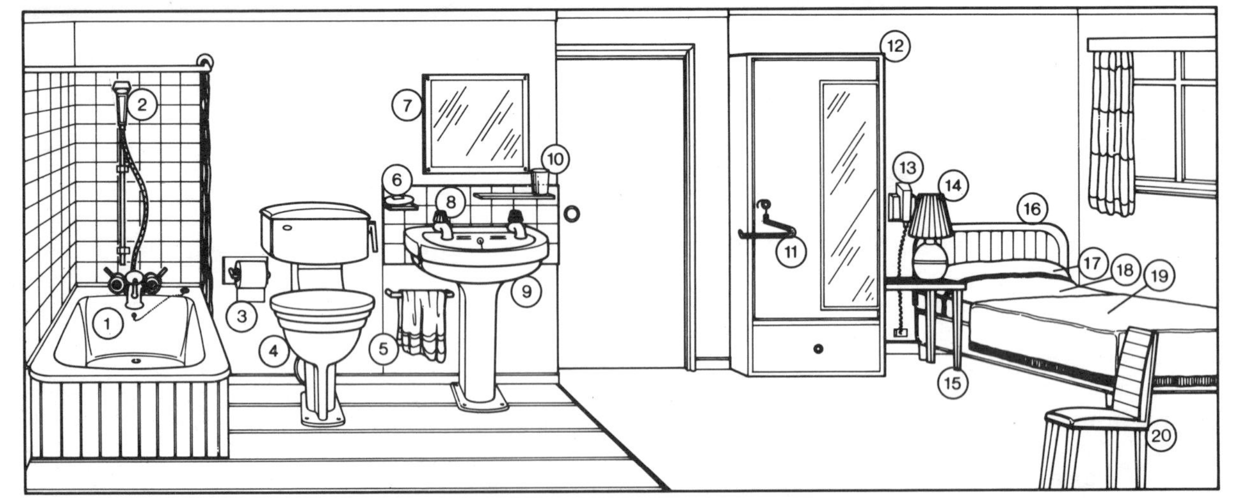

a el grifo _____	**f** el vaso _____	**k** la bañera _____	**o** el teléfono _____
b la lámpara _____	**g** la almohada _____	**l** el armario _____	**p** el lavabo _____
c la silla _____	**h** la mesilla _____	**m** la sábana _____	**q** la ducha _____
d la toalla _____	**i** la cama _____	**n** el retrete _____	**r** el espejo _____
e el papel higiénico _____	**j** el jabón _____	**ñ** la percha _____	**s** la manta _____

C ¿Una reserva?

Escucha en la cinta la llegada del señor Jiménez al hotel Don Carlos. Después de escuchar podrás rectificar las afirmaciones siguientes. En todas las afirmaciones hay algún error.

1 El señor Jiménez ha escrito una carta reservando una habitación en el hotel Don Carlos.

____

____

2 El hotel no le ha comunicado que está completo.

____

____

3 El señor Jiménez viaja solo.

____

____

4 Ha hecho un viaje de seis horas en tren.

____

____

5 El recepcionista llama a otro hotel, el hotel Goya, y pregunta por una habitación doble con ducha.

____

____

6 En el otro hotel no tienen habitaciones dobles.

____

____

7 La habitación cuesta 14.000 pesetas.

____

____

8 La comida está incluida.

____

____

9 El señor Jiménez no va a aceptar la habitación.

____

____

D Reservar una habitación

Escribe una carta al Gran Hotel Delfín, reservando una habitación para tus próximas vacaciones.

Ejemplo:

25 de enero

Muy señor mío:
Por la presente quiero reservar...

Sin otro particular, le saluda atentamente.

Elena Díaz

¿Tomamos algo?

A ¿Adónde vamos?

¿Tienes mucha hambre o poca? ¿Tienes calor o sed? Según las circunstancias puedes ir a un restaurante, una cafetería o un café.

Hay restaurantes de cinco categorías: de lujo, primera, segunda, tercera y cuarta. La categoría del restaurante se indica con tenedores. Un restaurante de lujo tiene como símbolo cinco tenedores, un restaurante de tercera dos tenedores.

Los restaurantes de uno, dos y tres tenedores ofrecen un menú del día, o menú turístico, de dos platos, postre, pan y vino por un precio global.

Si tienes hambre y no tienes mucho dinero, puedes ir a una cafetería a tomar un plato combinado. Además puedes tomar refrescos, pasteles, helados, vino o cerveza.

En un café puedes tomar café, refrescos, helados y bebidas alcohólicas.

1 Este señor tiene mucha hambre. Y el precio no le importa. ¿Adónde puede ir?

____

2 Para tomar un café con leche y un pastel, ¿adónde puede ir?

____

3 Andrés y Carmen tienen hambre, pero no tienen mucho dinero. ¿Adónde pueden ir?

____

B Vamos a un

Restaurante Casa Gerardo

MENÚ DEL DÍA

Melón con jamón
Ensalada mixta

* * *

Chuletas de cordero
Merluza al horno

* * *

Fruta del tiempo
Tarta de la casa

Vino de Rioja, cerveza y agua mineral

Precio 1.500 ptas.

Entrantes

Jamón de Jabugo	1.500
Melón con jamón	700
Ensalada mixta	550
Espárragos con mahonesa	750

Sopas y huevos

Gazpacho	550
Sopa de pescado	575
Sopa de ajo	375
Consomé al jerez	265
Tortilla	500

Pescado

Merluza a la gallega	1.900
Bacalao a la vizcaína	950
Zarzuela de pescados	1.200
Angulas	3.000

Carne

Chuletas de cordero	1.200
Cochinillo asado	4.000
Brocheta de carne	1.200
Pollo asado	1.100

Postres

Flan	175
Fruta del tiempo	150
Helados	220

Bebidas

Vino tinto o blanco	300
Vino rosado	280
Cerveza	150
Agua mineral con o sin gas	150

restaurante

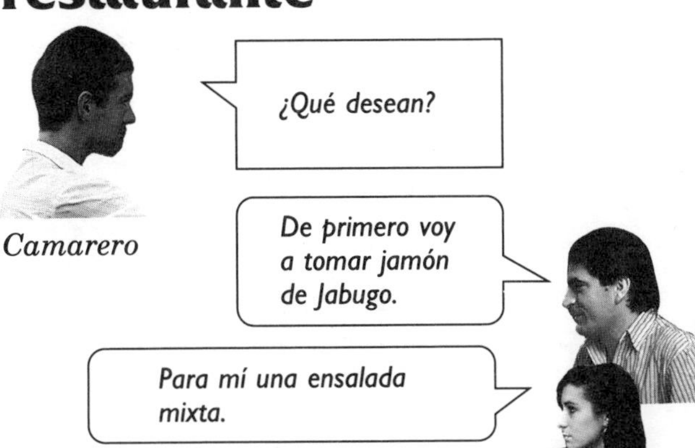

Rafael y Ángela

Camarero: ¿Y de segundo?
Rafael: Una brocheta de carne.
Ángela: A mí me gusta más el pescado. ¿Qué tal la merluza a la gallega?
Camarero: Está muy rica hoy.
Ángela: Pues, merluza para mí.
Camarero: ¿Qué van a beber?
Rafael: ¿Qué te parece un vino rosado?
Ángela: No, voy a tomar agua mineral.
Rafael: Vale. Agua mineral con gas para la señora, y una cerveza para mí.
Camarero: ¿Algo más?
Rafael: De postre, ¿qué tienen?
Camarero: Tenemos flan, fruta del tiempo y helados.
Rafael: Yo voy a tomar un flan.
Ángela: Yo no quiero postre.

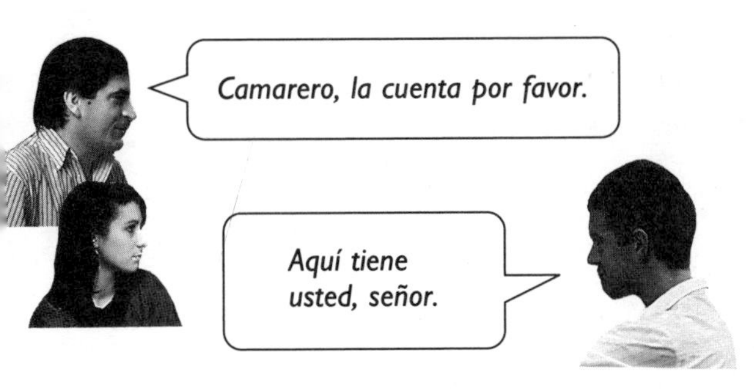

Ahora, trabajad en grupos de tres: un camarero y dos clientes, Manuel y su novia, María. Vais a hacer un nuevo diálogo según el modelo de arriba.

Pero hay un problema. Manuel no lleva más que 5.000 pesetas y el plato favorito de María es el cochinillo.

C ¿Qué comemos?

Escucha la cinta. Roberto y Carmen van al Restaurante Casa Gerardo para comer. Después de escuchar, indica si las afirmaciones siguientes son verdaderos o falsas.

1 Carmen y Roberto tienen mucha hambre. ______

2 A Roberto le gusta más la carne que el pescado. ______

3 Roberto no quiere engordar. ______

4 Carmen piensa mucho en las calorías de lo que come. ______

5 Roberto come cochinillo. ______

6 No van a tomar postre. ______

7 Carmen va a beber cerveza. ______

D El sabor de España

1 ¿Cuál de los platos siguientes corresponde a la receta de cocina de abajo?
a el gazpacho
b una tortilla de patata
c la sopa de ajo
d una ensalada mixta

Para cuatro personas

Ingredientes
1/4 de litro de aceite de oliva
Un kilo de patatas, peladas y cortadas en cuadrados pequeños
Una cebolla grande picada
Cinco huevos batidos
Un poco de sal

Preparación
1 Calentar el aceite en una sartén mediana.
2 Añadir las patatas y la cebolla. Freírlas a fuego lento hasta que estén tiernas.
3 Eliminar el exceso de aceite. Poner la sal.
4 Añadir los huevos batidos mezclándolos bien con las patatas y cebolla.
5 Cuando la parte de abajo de la tortilla esté dorada, darle la vuelta con la ayuda de un plato y dejarla dorar por el otro lado.

2 Escribe en español la receta de tu plato preferido.

De compras

A ¿Abierto o cerrado?

El horario normal de las tiendas es de nueve a una y media y de tres y media a ocho, de lunes a sábado, inclusive. Los grandes almacenes suelen abrir un poco más tarde por la mañana y no cierran a la hora de comer.

1 ¿Cuál es el horario normal de las tiendas en tu país?

____

____

____

2 ¿Están abiertas los domingos?

____

____

____

B Pequeño vocabulario de moda joven

¿Qué significan estas palabras en tu idioma?

1 la cazadora ______________________________

2 de manga larga ______________________________

3 el algodón ______________________________

4 el bolsillo ______________________________

5 la deportiva ______________________________

6 la piel ______________________________

7 el pantalón vaquero ______________________________

8 lavado a la piedra ______________________________

C Comprar regalos

Soledad y su amiga Pilar van de compras juntas, para comprar regalos de Navidad. Mientras escuchas su conversación, vas a mirar la guía de departamentos de los grandes almacenes y marcar a qué secciones tienen que ir las dos señoras. Escribe también lo que van a comprar allí.

1 Para Pedro un/una ______________
en ______________________

2 Para Marisa un/una ______________
en ______________________

3 Para la madre un/una ______________
en ______________________

4 Para Juan un/una ______________
en ______________________

5 Para Pablito un/una ______________
en ______________________

GUIA DE DEPARTAMENTOS

1 SOTANO
Tejidos. Mercería. Sedas. Lanas. **Supermercado.** Alimentación. Limpieza. **Imagen y Sonido.** Cassettes. Fotografía. Hi-Fi. Ordenadores. Radio. TV. Vídeos. Discos.

1 PLANTA
Hogar Menaje. Artesanía. Cerámica. Cristalería. Cubertería. Accesorios Automóvil. Bricolage. Loza. Orfebrería. Porcelanas (Lladró, Capodimonte). Platería. Regalos. Vajillas. Saneamiento. Electrodomésticos. Muebles de Cocina.

3 PLANTA
Confección Caballer Confección Ante y Pie Boutiques. Ropa Interio Sastrería a Medida. Artí culos de Viajes. Complementos de Moda. Zapatería.

B PLANTA BAJA
Complementos de Moda. Perfumería y Cosmética. Joyería. Bisutería. Bolsos. Fumador. Librería. Tienda de Tabaco. Marroquinería. Medias. Pañuelos. Papelería. Relojería. Sombreros. Turismo.

2 PLANTA
Niños/as. (4 a 10 años) Confección. Boutiques. Complementos. Juguetería. **Chicos/as.** (11 a 14 años) Confección. Boutique Agua Viva. **Bebés.** Confección. Carrocería. Canastillas. Regalos bebé. Zapatería bebé. **Zapatería.** Señoras, Caballeros y Niños.

4 PLANTA
Señoras. Confección. Punto. Peletería. Boutiques Internacionales. Lencería y Corsetería. Futura Mamá.- Tallas Especiales. Complementos de Moda.

D ¿Qué desea?

Trabajad de dos en dos y haced un nuevo diálogo entre un cliente y un dependiente, según el modelo de arriba.

El cliente quiere comprar un pantalón vaquero, talla 32, de la marca Libre, de color negro. El dependiente no lo tiene en negro de esa marca. De la marca Stone, sí que lo hay en negro. El cliente se lo prueba y no le gusta, le queda demasiado grande. Se prueba un Libre lavado a la piedra y le queda bien.

En casa

A ¡Compre una segunda vivienda!

1 Indica en el plano de Casa Belén dónde están las habitaciones e instalaciones mencionadas en la lista.

2a ¿Qué muebles hay en el salón? ______________

____

2b ¿Y en los dormitorios? ______________

____

3a ¿Qué electrodomésticos puede haber en la cocina? ______________

____

____

3b ¿Y en el lavadero? ______________

____

____

B ¿Vivir en un chalé o en un piso?

Los Pérez van a comprar una vivienda. El señor Pérez es profesor en un colegio del centro de Madrid. La señora de Pérez es ama de casa. Le interesa sobre todo cultivar flores y estar con sus amigas. Los Pérez tienen dos hijos de 11 y 15 años respectivamente. Les interesan mucho los deportes. La familia no tiene coche.

1 ¿Cuál de estos anuncios puede ser más interesante para los Pérez? ¿Por qué? Haz una lista de las ventajas y los inconvenientes de cada anuncio.

INMOBILIARIA VENTAS

PISOS

San Fernando de Henares. Llave en mano, tres, cuatro dormitorios, dos baños, cocina amueblada, ascensor, garaje y jardín, calefacción central. Financiación 20 años. Directamente constructor.
Barrio Estrella, 140 metros, cuatro dormitorios, salón, dos baños, piscina, jardín privado, garaje.
Embajadores, exterior, dos dormitorios, calefacción central, ascensor, terrazas.

	San Fernando de Henares	Barrio Estrella	Embajadores
Ventajas			
Inconvenientes			

2 Compara tu lista con la de tu compañero/a, y discute sobre qué vivienda les conviene más a los Peréz.
Ejemplo
– *A mí me parece mejor..., porque allí la señora puede...*
– *Pero entonces los hijos no pueden...*

C Un fin de semana con Alicia

Escucha la cinta. Alicia propone a Carmen un plan para el fin de semana.

1 ¿Quiénes van? ____________________

2 ¿Adónde van? ____________________

3 Describe la casa de Alicia. ____________________

4 La familia de Carmen, ¿tiene una segunda vivienda también? ¿Por qué/por qué no?
____

D ¿Y las viviendas de tu país?

Lee las páginas 40 y 41 y haz una descripción de las viviendas de tu propio país. Imagínate que estás escribiendo para una revista española.

¿Qué hacemos este fin de semana?

A ¿Vamos al museo?

Hoy es domingo. Aconseja a estas personas adónde ir.
Ejemplo:
Si quieres ver cuadros de Velázquez, puedes ir a...

a *Lo que más me interesa es la época de los romanos.*

b *Papá, yo quiero ir a ver lo del espacio y las estrellas.*

a ______________________

b ______________________

c *Tengo que escribir un ensayo sobre la pintura de Velázquez.*

d *¿Dónde se expone ahora el Guernica de Picasso?*

c ______________________

d ______________________

Planetario de Madrid
Parque de Tierno Galván
Sala de proyecciones con equipo óptico que reproduce el espacio.
Cerrado lunes.

Museo Nacional Centro de Arte Reina Sofía
Santa Isabel, 52.
Pintura contemporánea. Su principal atracción es el Guernica de Picasso.
Cerrado martes.

Museo Nacional del Prado
Paseo del Prado
Alberga las más importantes escuelas de pintura europeas de los siglos XII al XIX.
Cerrado lunes.

Museo Arqueológico Nacional
Serrano, 13
Colecciones de objetos arqueológicos de las edades prehistórica, antigua y media. Objetos ibéricos y romanos.
Cerrado lunes y festivos.

B Pequeño vocabulario de cine

¿Qué significan estas palabras en tu idioma?

a la sesión ______________________

b la fila ______________________

c la entrada ______________________

d agotado ______________________

C Ver la tele

A Pedro le interesa el deporte y a Carmen la música y el cine, especialmente las películas de ciencia-ficción.

Por la mañana, Carmen sale a comprar con su hijo Juan. A la una van a comer a casa de la madre de Carmen, a quien no le gustan los deportes. Vuelven a casa a las tres. Pedro vuelve a las cuatro y media.

A las nueve y media Carmen empieza a preparar la cena. Cenan a las diez y se acuestan a las doce.

1 ¿A qué hora va a ver Pedro la tele?

____

El programa: ____________________

2 ¿Y Carmen? ____________________

____

El programa: ____________________

____

3 ¿A qué hora hay un programa apto para Juan, que tiene seis años?

____

El programa: ____________________

CANAL +

8.15 **Del 30 al 1.**
9.10 **Dibujos animados.** *La aldea de Arce.*
9.35 **Dibujos animados.** *Sharky y Georges.*
10.00 Cine. Dos artistas en falsificar. Director: Dean Parisot. (Codificado).
11.32 **Cine.** *Moonwalker.* 1988. Dirección: Colin Chilvers (*Smooth criminal*), Jerry Kramer (antología de fragmentos). Producción ejecutiva: Michael Jackson y Frank Dileo. Intérpretes: Michael Jackson, Joe Pesci, Sean Lennon, Kellie parker, Brandon Adams. (Codificado).
13.00 **El gran musical.**
14.00 **Redacción.** Noticias.
14.05 **Teleserie.** *Las manías de Peter.*
14.30 **Fútbol.** Liga italiana. Fiorentina-Juventus. (Codificado).
15.20 **Cine.** *Los inmortales II: El desafío.* 1990. Director: Russell Mulcahy. Producción: Brian Clemens, William Panzer y Peter Bellwood. Intérpretes: Christopher Lambert, Sean Connery, Virginia Madsen, Michael Ironside, John McGinley. La historia de *Los inmortales II* se desarrolla en la Tierra, en el año 2024. El espectador se encontrará con una explicación sobre el origen de los inmortales, quién estableció su extraño destino y si podrán reproducirse en el futuro. El panorama terrestre en este futuro de ficción científica es desolador. La polución y la desaparición de la capa de ozono ha obligado a los hombres a construir un inmenso escudo para proteger a lo que queda de la humanidad de los 97 grados de temperatura ambiente. (Codificado).
17.50 **Lo + Plus.** (Multifusión).
18.20 **Previo fútbol.**
19.00 **Fútbol.** Liga española. Rayo Vallecano-Real madrid. (Codificado).
21.28 **Información meteorológica.**
21.30 **Redacción.** Noticias.
22.00 **Estreno Canal +** . *En pie de guerra.* 1989. Director: Franc Boddam. Intérpretes: Billy Wirth, Kevin Dillon. Tim Sampson, Jimmie Ray Weeks. Cien años después de la matanza de Milk River (Montana), el lugar donde un grupo de pies negros tue masacrado por las tropas de caballería sin ninguna razón conocida, el pueblo de Binger ha decidido celebrar una fiesta en la que se rinda homenaje a los guerreros muertos. Con el fin de recaudar fondos, los jóvenes reconstruirán la batalla acaecida en el pasado. Sin embargo, lo que comienza como una fiesta termina convirtiéndose en una verdadera guerra entre indios y blancos. (Codificado).
23.34 **El tercer tiempo.** Resumen de la jornada futbolística. (Codificado).
23.46 **Cine.** *Stella.* 1990. Director: John Erman. Intérpretes: Bette Midler, John Goodman, Stephen Collins. (Codificado).

D ¿Qué haces en tu tiempo libre?

1 En la cinta María y Fernando hablan de lo que hacen en su tiempo libre. Después de escuchar vas a marcar con una cruz lo que hace cada uno.

Actividad	María	Fernando
Escuchar música		
Ver la tele/el vídeo		
Estar con amigos		
Hacer deporte		
Tocar un instrumento musical		
Ir al cine		
Leer y escribir cartas		

2 Ahora, cuenta lo que haces tú en tu tiempo libre.

E ¿Y los jóvenes de tu país?

Imagínate que escribes un artículo para una revista juvenil española. El tema es lo que hacen los jóvenes de tu país en su tiempo libre. Ver también las páginas 30-31 y 46-47.

Los deportes

A ¿Qué deporte es?

Relaciona los símbolos de diferentes deportes con los nombres correspondientes.

B La pelota vasca

Inserta las palabras que faltan en estas reglas para jugar a la pelota vasca.

1 Sólo se puede golpear la __________ con la cesta.
2 Coger la pelota en la palma de la __________ para sacar.
3 Botarla contra el suelo en el momento del __________ .
4 Para que sea bueno el saque, la pelota tiene que botar entre las dos __________ rojas.
5 Como máximo, puede botar una vez contra el __________ .
6 Ningún __________ puede golpearla dos veces consecutivas.

jugador	saque	suelo	pelota	mano	marcas

C  ¿Qué deportes practican?

Escucha la conversación entre María y Andrés y marca en el recuadro los deportes que practica María con una "M", y los que practica Andrés con una "A". Marca también de la misma manera los deportes que dicen que no les gustan.

El deporte	Lo/La practica	Lo/La ve en la tele	No le interesa
el esquí			
el hockey sobre hielo			
el hockey sobre ruedas			
la gimnasia			
el patinaje			
el tenis			
el golf			
la vela			
el windsurf			

D ¿Y vosotros?

Formad grupos de tres o cuatro para hablar de los deportes que os interesan. Luego cada grupo escribe unas líneas sobre los intereses deportivos representados en el grupo, sin mencionar los nombres de los aficionados.

Ejemplo: *En nuestro grupo hay una persona a quien le interesan la vela y el windsurf.*
A ver si los otros grupos pueden adivinar de quién se trata.

E ¿Y los deportes de tu país?

Imagínate que escribes un artículo para una revista española.
El tema es: los deportes que más se practican en tu país.

En el colegio

A El horario de Luisa

	Lunes	Martes	Miércoles	Jueves	Viernes
8.30	Latín	Lengua	Matemáticas	Inglés	E.A.T.P.
9.20	Matemáticas	Educación Física	Lengua y Literatura	Educación Física	Geografía
10.10	Ética/Religión	Latín	Física y Química	Geografía	Física y Química
11.00	RECREO				
11.30	Física y Química	Física y Química	Inglés	Educación Física	Ética /Religión
12.20	Inglés	Geografía	E.A.T.P.	Matemáticas	Inglés
13.10	RECREO				
13.25	Geografía	Matemáticas	Latín	Lengua y Literatura	Latín
14.15	2º idioma (voluntario)			2º idioma (voluntario)	

E.A.T.P (Enseñanzas Artísticas, Técnicas y Profesionales): se puede elegir Informática (la preferida), Imagen y Sonido, Teatro, Astronomía, Mitología Clásica.

1 Mira el horario de Luisa, una estudiante de segundo, y contesta a las preguntas.

a ¿Cuántas asignaturas estudia Luisa? ________

____

b ¿Cuántas clases de matemáticas tiene a la semana? ________

____

c ¿Y cuántas clases de lengua (es decir lengua española)? ________

____

d ¿Cuántas veces a la semana hay clase de educación física? ________

____

e ¿Qué día hay E.A.T.P.? ________

____

2 Compara tu horario con el de Luisa y señala las diferencias con un marcador fluorescente.

a Luisa estudia más/menos asignaturas.
b El día escolar de Luisa empieza más temprano./más tarde.
c Luisa tiene más/menos recreos.
d Luisa tiene más/menos tiempo para la comida.

B El horario ideal

Discutid en grupos qué horario os parece mejor, el de Luisa o el vuestro. ¿Por qué? ¿Cómo sería el horario ideal?

Comparad las opiniones de los diferentes grupos.

C El boletín

Este es un boletín de evaluación continua. Mira primero lo que significan los signos convencionales empleados y contesta luego a las preguntas siguientes.

Alumno Francisco Casadesus Griera .... Curs

MATERIAS DE 2.°	1.ª EVALUACION				2.ª EVALUACION				3.ª EVALUACION			
	C	A	G	R	C	A	G	R	C	A	G	R
L. Española y Literatura ...	N	C	S									
Latín	I	D	RC									
Lengua Extranjera (........).	Suf	B	S									
Geografía	B	A	S									
F. P. Social y Económica	B	E	RA									
Formación Religiosa-Etica.	I	C	RC									
Matemáticas	Sb	A	S									
Física y Química	B	C	S									
E. Física y Deportiva... ...	MD	E	RR									
E. A. T. P. (................).												

Observaciones	Fecha 12/1 ..... Firma del profesor tutor, Firma del padre.	Fecha .... Firma del profesor tutor, Firma del padre.	Fecha .... Firma del profesor tutor, Firma del padre.

INSTITUTO DE BACHILLERATO

PRINCIPE FELIPE

MADRID

Boletín de evaluación continua

Alumno ....

Curso .... Grupo .... N.° ....

SIGNOS CONVENCIONALES EMPLEADOS

1.ª Columna: CONOCIMIENTOS

- Sobresaliente – Sb
- Notable – N
- Bien – B } matices del aprobado
- Suficiente – Suf } matices del aprobado
- Insuficiente – I } matices del suspenso
- Muy Deficiente – MD } matices del suspenso

2.ª Columna: ACTITUD

- Excelente – A
- Buena – B
- Normal – C
- Pasiva – D
- Negativa – E

3.ª Columna: GLOBAL

- Satisfactoria – S
- Recuperar conocimientos – R C
- Rectificar actitud – R A
- Recuperar conocimientos y rectificar actitud – R R

4.ª Columna: RECUPERACION

1 ¿Cuál es la mejor asignatura de Francisco?

2 ¿En qué asignatura está más flojo?

3 Hay tres asignaturas que tiene que mejorar. ¿Cuáles son?

4 ¿En qué asignatura debe mejorar su actitud?

D ¿Qué línea vas a elegir?

Elena y Tomás tienen 16 años y van a ingresar en la educación postobligatoria. Pueden elegir entre cuatro líneas: técnica, científica, humanística y artística. Ahora están hablando de las líneas que van a elegir. Escucha la cinta y contesta a las preguntas siguientes.

1 ¿Qué línea debe elegir Elena? ¿Por qué lo crees?

2 ¿Qué líneas le pueden ir bien a Tomás? ¿Por qué lo crees?

3 Para Tomás, ¿qué posibilidades hay de aprender bien inglés?

4 ¿Qué alternativa prefiere Tomás? ¿Por qué?

5 ¿Qué piensa Elena de eso?

E En mi colegio

Imagínate que escribes una carta a un/a amigo/a español/a que te ha preguntado sobre tu colegio. Cuéntale lo que estudias, qué asignaturas te gustan más, cómo es el colegio, si te gusta y otros aspectos de la vida de colegio.

La geografía de América Latina

A El mapa latinoamericano

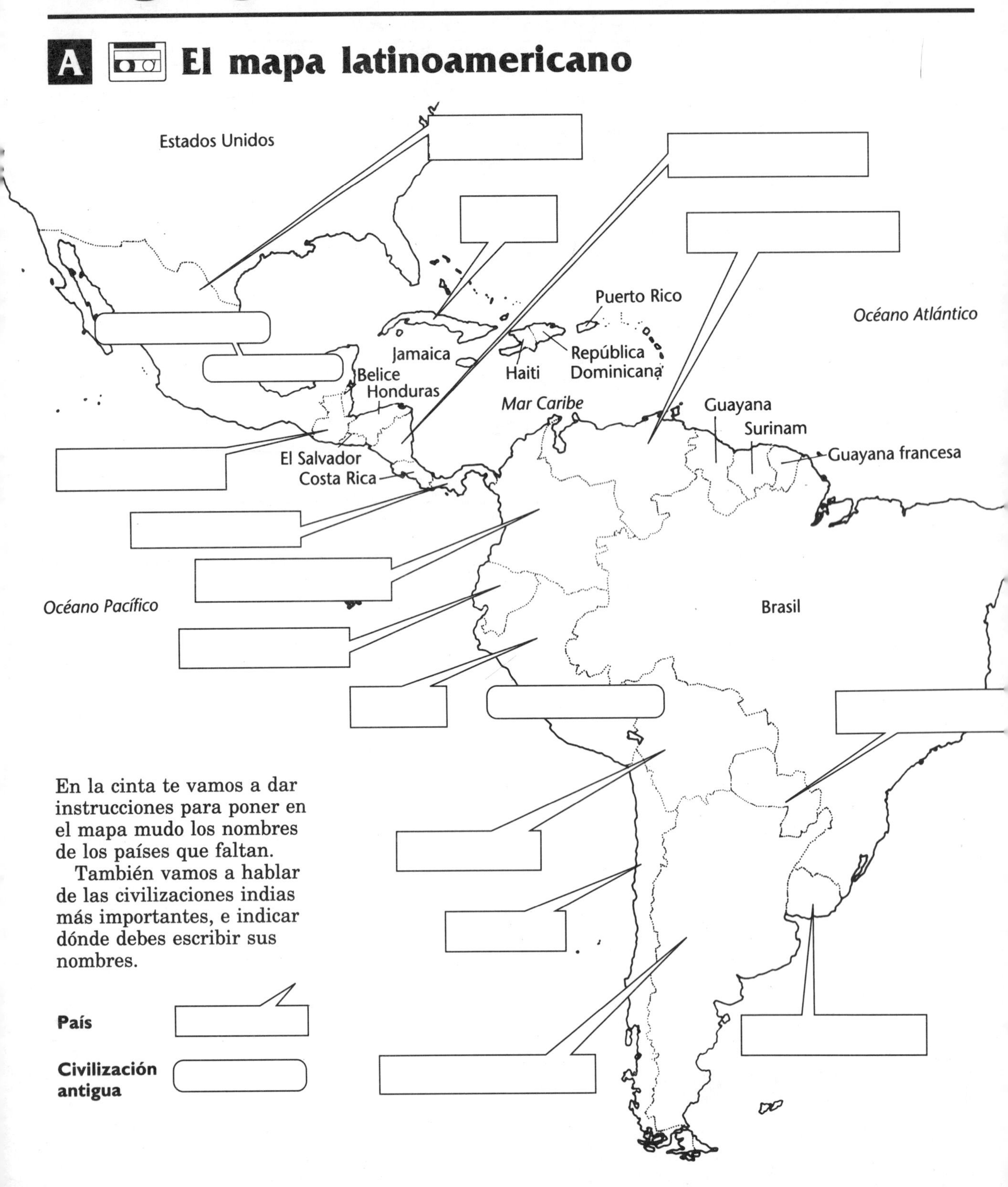

En la cinta te vamos a dar instrucciones para poner en el mapa mudo los nombres de los países que faltan.

También vamos a hablar de las civilizaciones indias más importantes, e indicar dónde debes escribir sus nombres.

B Países y capitales

¿Puedes relacionar estas capitales con los países correctos?

El pueblo de Tarabuco, Bolivia

1 **a** Buenos Aires
b La Paz
c Bogotá
d Managua

1 Colombia
2 Nicaragua
3 Argentina
4 Bolivia

2 **a** Santiago
b La Ciudad de México/México, D.F.
c Montevideo
d Quito

1 México
2 Ecuador
3 Uruguay
4 Chile

El metro de la Ciudad de México

El centro de Caracas

3 **a** Lima
b Caracas
c La Habana
d Asunción

1 Paraguay
2 Venezuela
3 Perú
4 Cuba

C Acá decimos . . .

Hay algunas diferencias de vocabulario entre el español de España y el que se habla en América Latina. A ver si sabes relacionar las palabras de la primera columna con las palabras correspondientes de la segunda columna.

En España se dice:	En América Latina se dice:
1 guapo	**a** papa
2 billete	**b** acá
3 charlar	**c** apurarse
4 aquí	**d** plata
5 dinero	**e** lindo
6 tirar	**f** boleto
7 patata	**g** botar
8 darse prisa	**h** conversar, platicar

Visitar América Latina

A Viaje a México

Una familia española, los Fernández, está proyectando un viaje a México. La agencia de viajes ofrece muchos viajes diferentes y es difícil elegir porque los miembros de la familia no tienen los mismos gustos.

Lee los anuncios de viajes y marca luego en el recuadro qué preferencias tendrán los diferentes miembros de la familia, y las razones por las que cada persona prefiere determinado viaje.

LA FAMILIA FERNÁNDEZ
El padre: El padre es profesor de historia. Le interesa sobre todo ver sitios arqueológicos.
La madre: A la madre le interesa la pintura y la artesanía.
José: Al hijo de trece años le encanta el submarinismo.
Maribel: A su hermana mayor, Maribel, le gusta tomar el sol y nadar. También le gusta ir de compras.

Cozumel/Cancún

***10 días** (7 noches de hotel + 1 noche de avión)* . . . .

Día 1° Madrid/Cancún
Presentación en el aeropuerto, salidas internacionales, mostrador Politours, para salir en vuelo especial, con destino a Cancún. Llegada, traslado al hotel y alojamiento.
Días 2° al 4°
Días libres en régimen de alojamiento que puede utilizar descansando en sus bellas playas caribeñas de finísima arena blanca.
Día 5° Cancún/Cozumel
Traslado al aeropuerto para salir e vuelo con destino a Cozumel. Llegada, traslado al hotel y alojamiento.
Días 6° y 7° Cozumel
Días libres en régimen de alojamie en esta bella isla, llena de vegetac subtropical, famosa por sus gente amables y aguas claras,donde podr disfrutar del submarinismo.

México D.F.

***7 días** (6 noches de hotel + 1 noche de avión)* . . .120.500 Ptas.

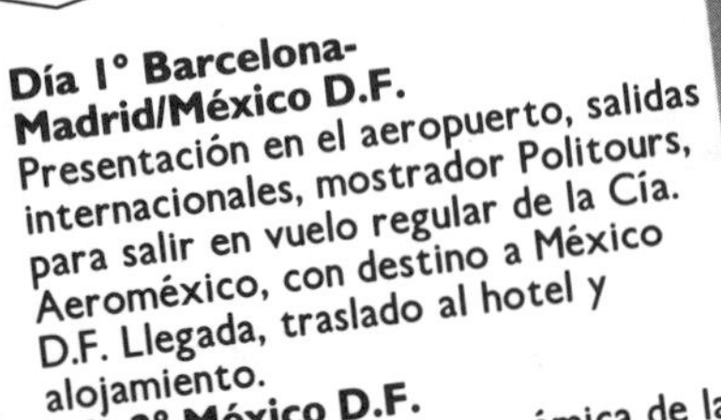

Día 1° Barcelona-Madrid/México D.F.
Presentación en el aeropuerto, salidas internacionales, mostrador Politours, para salir en vuelo regular de la Cía. Aeroméxico, con destino a México D.F. Llegada, traslado al hotel y alojamiento.
Día 2° México D.F.
Por la mañana visita panorámica de la ciudad. Palacio de las Bellas Artes, Palacio Nacional, hoy convertido en oficinas del Gobierno y donde podrán admirar los impresionantes murales del gran pintor Diego Rivera, el Zócalo, que fue el corazón de la ciudad en la época de los aztecas, la Catedral Metropolitana, Paseo de la Reforma, Parque de Chapultepec, uno de los parques urbanos más grandes del mundo y el barrio más rico de la ciudad "Las Lomas". Tarde libre.
Día 3° al 5° México D.F.
Días libres en régimen de alojamiento. Posibilidad de realizar excursión opcional a la Zona Arqueológica de Teotihuacán, la "ciudad de los dioses", para conocer las majestuosas obras arquitectónicas realizadas en la época prehispánica, tales como las Pirámides del Sol y la Luna, Templo de Quetzalcoatl, etc. También se pueden efectuar excursiones opcionales a los Jardines flotantes de Xochimilco o a Puebla y Cholula, o bien visitar para compras los Mercados de Londres, situados en la Zona Rosa, o el de San Juan, donde seguramente encontrará cuanto pueda interesarle en artesanía y recuerdos.
Día 7° México D.F./Madrid
Traslado al aeropuerto para salir vuelo con destino a Madrid. Noch bordo.
Día 8° Madrid-Barcelona
Llegada.

Destino	¿Quién lo prefiere?	¿Por qué motivo?
La ciudad de México		
Cozumel/ Cancún		

117.900 Ptas

B A mí me interesa...

Formad grupos de cuatro personas. Imaginad que sois los miembros de la familia Fernández: el padre, la madre, José y Maribel.

Cada persona habla del viaje que prefiere, explicando por qué, y trata de persuadir a los otros para elegir ese viaje. ¿Hay alguna manera de ponerse de acuerdo?

C ¡Bienvenidos a la Reina del Plata!

Vas a oír cómo un guía da la bienvenida a un grupo de turistas españoles que acaban de llegar a América Latina. Después de escuchar la cinta podrás contestar a las preguntas siguientes.

1 ¿En qué país y en qué ciudad está este grupo de turistas españoles?

2 ¿Qué sabes del tamaño de la ciudad?

3 ¿Qué sabes de la Avenida 9 de Julio?

4 ¿A qué hora cierran las tiendas los sábados?

5 ¿Qué artículos son especialmente interesantes para comprar?

6 ¿Cuál es la diferencia horaria con España en invierno? ¿Y en verano?

7 Estos turistas, ¿en qué estación del año realizan su visita?

8 ¿Cuántos grados hace el día de su llegada?

9 La temperatura, ¿cambia durante la noche?

¿Qué sabes de España?

La geografía (páginas 6-17)

Estas afirmaciones, ¿son verdaderas (V) o falsas (F)? Si piensas que una afirmación es falsa, corrígela.

1 Toda España tiene un clima seco y caluroso.

V☐ / F☐ ____________________

2 España está formada por 17 comunidades autónomas.

V☐ / F☐ ____________________

3 Madrid tiene casi tres millones de habitantes.

V☐ / F☐ ____________________

4 La región más próspera de España es el País Vasco.

V☐ / F☐ ____________________

La historia (páginas 18-25)

Relaciona cada frase con el nombre o la fecha correspondiente.

1 Los primeros habitantes de España fueron ☐
2 El palacio de la Alhambra fue construido por ☐
3 Los Reyes Católicos terminaron la Reconquista en ☐
4 "El imperio donde no se ponía el sol" se refiere al imperio de ☐
5 En la guerra de la Independencia España luchó contra ☐
6 España perdió sus últimas colonias en ☐
7 La Guerra Civil estalló en ☐
8 Francisco Franco murió en ☐
9 Ahora España es ☐
10 El rey de España es ☐

a los franceses
b los árabes
c los iberos y los celtas
d Carlos I
e Juan Carlos I
f una monarquía parlamentaria
g 1975
h 1936
i 1898
j 1492

España de hoy (páginas 26-33 y 36-39)

Estas afirmaciones, ¿son verdaderas (V) o falsas (F)? Si piensas que una afirmación es falsa, corrígela.

1 Los problemas más graves de España son el paro y el terrorismo.

V☐ / F☐ ____________________

2 En España existen el divorcio y el aborto.

V☐ / F☐ ____________________

3 La mitad de los españoles viven en ciudades.

V☐ / F☐ ____________________

4 Un 40 por ciento de la población activa trabaja en la industria y los servicios.

V☐ / F☐ ____________________

La cultura (páginas 34-35 y 52-59)

Relaciona cada nombre con la definición correspondiente.

1 Diego Velázquez ☐
2 Francisco de Goya ☐
3 Pablo Picasso ☐
4 Miguel de Cervantes ☐
5 Lope de Vega ☐
6 Federico García Lorca ☐
7 Camilo José Cela ☐
8 Antoni Gaudí ☐
9 Manuel de Falla ☐
10 Pedro Almodóvar ☐

a compositor famoso
b autor de *La casa de Bernarda Alba*
c arquitecto de La Sagrada Familia
d autor de más de 400 obras de teatro
e novelista que ha recibido el Premio Nobel de literatura
f pintó *Las Meninas*
g famoso director de cine
h creador de *Don Quijote*
i pintó *Los desastres de la guerra*
j pintó *Guernica*

¿Qué sabes de América Latina?

La geografía (páginas 62-63)

Estas afirmaciones, ¿son verdaderas (V) o falsas (F)? Si piensas que una afirmación es falsa, corrígela.

1 La cordillera de los Andes se extiende por la costa del Atlántico.

V☐ / F☐ ____________________

2 Un país de América Latina está en América del Norte.

V☐ / F☐ ____________________

3 El río Orinoco forma la frontera de EE. UU. y México.

V☐ / F☐ ____________________

4 En el desierto de Atacama no ha llovido nunca.

V☐ / F☐ ____________________

La historia (páginas 64-69)

Relaciona cada nombre con la continuación correspondiente.

1 Los mayas . . . ☐
2 Los aztecas . . . ☐
3 Los incas . . . ☐
4 Cristóbal Colón . . . ☐
5 Hernán Cortés . . . ☐
6 Moctezuma . . . ☐
7 Francisco Pizarro . . . ☐
8 Atahualpa . . . ☐
9 Simón Bolívar . . . ☐
10 Pancho Villa y Emiliano Zapata . . . ☐

a fueron líderes de la revolución mexicana.
b liberó Colombia, Venezuela y Ecuador.
c fueron los inventores del cero.
d creía que había llegado a las Indias.
e era el emperador de los incas.
f construyeron la ciudad de Machu Picchu.
g era el emperador de los aztecas.
h conquistó Cuzco.
i construyeron la ciudad de Tenochtitlán.
j conquistó Tenochtitlán.

América Latina hoy (páginas 70-71)

A Relaciona el nombre de cada país o lugar con la continuación correspondiente.

1 En la ciudad de México . . . ☐
2 En Cuba . . . ☐
3 En Costa Rica . . . ☐
4 En los EE. UU. . . . ☐

a hubo una revolución en 1959.
b no ha habido dictaduras militares ni revoluciones.
c hay 20 millones de habitantes.
d hay más de 25 millones de hispanoparlantes.

B Los periódicos suelen sobre todo destacar los problems que hay. ¿De qué problemas pueden tratar los artículos siguientes? Elige la continuación correspondiente.

1 Un artículo sobre el narcotráfico trata de . . . ☐
2 Estadísticas del analfabetismo tratan de . . . ☐
3 Estadísticas de la mortalidad infantil tratan de . . . ☐
4 Un artículo sobre la deuda externa trata de . . . ☐
5 Un artículo sobre el paro trata de . . . ☐

a países que deben dinero a otros países.
b personas que no saben leer ni escribir.
c personas que no tienen trabajo.
d personas que venden drogas.
e niños pequeños que mueren.

La cultura (páginas 72-74)

Relaciona cada nombre con la definición correspondiente.

1 Octavio Paz ☐
2 Gabriel García Márquez ☐
3 Diego Rivera ☐
4 Pablo Neruda ☐
5 Sor Juana Inés de la Cruz ☐

a muralista mexicano
b poeta mexicano que ha recibido el Premio Nobel de liberatura
c poeta chileno que ha recibido el Premio Nobel de literatura
d una de las poetas mexicanas más importantes
e novelista colombiano que ha recibido el Premio Nobel de literatura

Spanish/English Vocabulary

A

a favor de in favor of
a mediados de in the middle of
a principios at the beginning
a segundo plano to second place
a través across
abandonar to abandon
abdicar to abdicate
la **abolición** abolition
el **abono** paid time
el **aborto** abortion
abundar to abound
acabar to finish
acallar to hush
el **aceite de oliva** olive oil
la **aceituna** olive
acelerar to accelerate
el **acero** steel
acompañar to accompany
aconseja he/she counsels
el **acontecimiento** event
acostarse to go to bed
acostumbrarse to accustom oneself
el **acto** act
actual current
la **actualidad** nowadays
actuar to actuate
el **acuerdo** agreement
adecuado adequate
además besides
el **adepto** follower
adicional additional
adivinar to guess
la **admiración** admiration
la **adoración** worship
adornarse to adorn oneself
la **aduana** customs
la **advertencia** warning
afectar to affect
el **aficionado** fan
afiliarse to affiliate oneself
afín similar
afortunado lucky
agotado sold-out
agradable pleasant
agrario agrarian
agravar to worsen
agrícola agricultural
agropecuario farming
aguzar el ingenio to sharpen one's wits
ahí there
ahumado smoked
aislado isolated
el **ajedrez** chess
el **ajo** garlic
ajustado tight
alargar to lengthen
albergar to house
la **alcahueta** go-between
el **alcalde** mayor
alcanzar to reach
alegre cheerful
el **alemán** German
alentador encouraging
el **algodón** cotton
el **aliado** ally
el **alma** soul
la **almendra** almond
los **almohades** Almohads
el **alojamiento** housing
alquilar to lease
alrededor around
la **ama de casa** housewife
amable kind
el **ambiente** atmosphere
amerindio American Indian
amplio ample
el **analfabetismo** illiteracy
el **anciano** elderly man
la **angula** eel
ante in front of
anterior previous
anticipado advanced
anticuado old-fashioned
las **Antillas** Antilles
anual annual
añadir to add
el **aparcamiento** parking lot
aparecer to appear
aparente apparent
apasionar to enthuse
apenas scarcely
aplastar to crush
apoderarse de to take possession of
apostar to wager
apoyar to support
apreciado appreciated
aprobar to approve of
apropiado appropriate
aprovecharse to take advantage of
apto competent
la **apuesta** bet
apurarse to hurry up
el **archiduque** archduke
el **arco** arch
la **área** area
Argel Algiers
árido arid
armado armed
la **armadura** armor
el **armario** wardrobe
la **artesanía** craftsmanship
el **artículo** article
artificial artificial
el **arrastre de piedras** dragging of stones
arrinconarse to put oneself in a corner
el **arrozal** paddy
asado roasted
ascético ascetic
el **asedio** siege
asegurar to secure
el **asentamiento** establishment
asentarse to establish oneself
la **asignatura** course
asistir to attend, to aid
asomar to begin to show
asombrar to amaze
el **astillero** shipyard
el **asunto** subject matter
atacar to attack
el **ataque de nervios** nervous breakdown
el **atentado** crime
atentamente attentively
la **atracción** attraction
atraer to attract
atrás behind
atravesar to cross over
atrevido bold
el **atún** tuna
el **auge** boom
aumentar to augment
aún even
aunque although
austero austere
las **autoridades** authorities
autoritariamente authoritarily
el **avance** advance
avanzado advanced
la **ave** bird
la **aventura** adventure
la **aviación** aviation
la **ayuda** help
el **ayuntamiento** city hall
el **azafrán** saffron
el/la **azúcar** sugar
el **azulejo** glazed tile

B

el **bacalao** codfish
bailar to dance
el **bailarín** dancer
la **balanza** scales
la **baldosa** floor tile
el **baloncesto** basketball
la **bancarrota** bankruptcy
la **bandera** flag
el **banderillero** bullfighter
la **bandurria** small guitar
bañarse to bathe oneself

la **barca de remos** row boat
la **barra** bar
la **barrera** barrier
basarse to base oneself
la **batalla** battle
batir to beat
el **bautizo** baptism
la **belleza** beauty
el **beneficio** benefit
bicameral two-chamber
el **bienestar** well-being
blanqueado white-washed
el **bloqueo** blockade
la **bocacalle** intersection
el **bocata** snack
la **boda** wedding
la **bodega** wine cellar
el **bollo** bun
botar to bounce
los **braceros** workers
el **brasero** stove
breve brief
brillante brilliant
la **brocheta** skewer
la **broma** joke
el **brujo** wizard
bruto rough
el **buey** ox
el **bufón** buffoon
burgués bourgeois
buscar to look for
el **buzón** mailbox

C

la **cabalgata** cavalcade
la **caballería** cavalry
el **caballero** gentleman
el **cabo** cape
la **cabra** goat
la **cadena** chain
el **cafeto** coffee bush
la **caída** fall
la **cajera** cashier
el **calamar** squid
la **calefacción** heating
calentar to heat
cálido warm
caluroso hot
la **calzada** road
el **calzado** footwear
la **cama** bed
la **camarera** waitress
el **camarero** waiter
el **camión** truck
la **campanada** stroke of a bell
el **campanario** bell tower
la **campaña** campaign
el **campesino** peasant
el **campo** country
la **caña** cane
la **capa** cape
la **capital** capital city
el **capricho** whim
captar to grasp
capturar to capture
la **cara** face
el **carbón** coal
el **carpintero** carpenter
la **carta** letter
el **cartel** poster
el **cartero** mailman
el **cartón** cardboard
la **carrera** career
la **carretera** highway
el **carromato** covered wagon
casarse to get married
el **caserío** small town
la **caseta** portable shelter
las **castañuelas** castanets
el **castigo** punishment
la **catedral** cathedral
el **catedrático** university professor
caudaloso with a great volume of water
la **causa** cause
la **cazadora** hunter
la **cebada** barley
la **cebolla** onion
ceder to cede
céntrico central
el **cerdo** pig
el **cereal** cereal
el **cerebro** brain
el **cero** zero
certificado registered
la **cesta** basket
ciego blind
la **cifra** digit
la **cigüeña** stork
el **cineasta** film maker
circense of a circus
circular circular
la **circunstancia** circumstance
citar to cite
cítrico citric
el **ciudadano** citizen
cívico civic
civil civil
claramente clearly
la **clasificación** classification
clavar to nail
el **clave** clavichord
la **climatización** air-conditioning
la **coalición** coalition
cobrar to cash
el **cobre** copper
el **cochinillo** piglet
cocido boiled
el **códice** manuscript
el **código** code
coetáneo contemporary
coexistir to coexist
el **cofrade** member
coger to catch
coincidir to coincide
la **colaboración** collaboration
colectivo collective
la **colmena** beehive
colocar to place
el **colorido** coloration
colosal colossal
la **columna** column
combatir to fight
combinar to combine
comenzar to begin
el **comerciante** merchant
la **comodidad** comfortableness
cómodo comfortable
el **compañero** classmate
comparar to compare
el **compás** compass
la **competencia** competition
competir to compete
complicar to complicate
componerse to be made up of
común common
el **comunero** member of a commune
las **comunicaciones** communications
comunicar to communicate
la **comunidad** community
concebir to conceive
conceder to grant
concentrar to concentrate
la **concesión** concession
la **conciencia** conscience
el **concurso** contest
el **conde** count
condenar to condemn
la **condición** condition
conducir to drive
la **confesión** confession
la **confianza** confidence
la **confirmación** confirmation
el **conflicto** conflict
el **conjunto** collection
conllevar to carry with
el **cono** cone
el **conquistador** conqueror
la **consecuencia** consequence
consecutivo consecutive
conseguir to obtain
el **consejo** council
el **conservador** conservative
conservar to conserve
las **conservas** preserved food
la **conservera** preserved-food industry
considerablemente considerably
considerarse to consider oneself
la **conspiración** conspiration
constante constant
la **constitución** constitution
constituir to constitute
construir to construct
el **consumo** consumption
contaminado contaminated

	contar to tell
	contar to count
	contemplar to contemplate
	contemporáneo contemporary
	contener to contain
	continuar to continue
el	**continuismo** continuum
el	**contrario** opponent
	contrastar to contrast
	contribuir to contribute
	convencido convinced
	convencional conventional
la	**conveniencia** convenience
el	**convenio** agreement
	convenir to agree
	convertir to convert
la	**convivencia** living together
la	**copa** goblet
el	**coraje** courage
el	**corazón** heart
el	**cordero** lamb
la	**corona** crown
el	**cortador de troncos** log cutter
	cortar to cut
el	**corte** cutting
	corresponder to correspond
el/la	**corresponsal** correspondent
	corriente ordinary
la	**corrupción** corruption
	cosechar to harvest
	costoso expensive
la	**costumbre** custom
	costumbrista of customs and manners
	cotidiano daily
	crear to create
	creciente increasing
el	**crecimiento** growth
la	**creencia** belief
	creer to believe
el	**crimen** crime
el	**criollo** native
	criticar to criticize
	cruel cruel
la	**crueldad** cruelty
la	**cruz** cross
la	**cruzada** crusade
	cruzar to cross
el	**cuaderno de apuntes** notebook
	cuadrado square
el	**cuadro** painting
	cubierto covered
el	**cuento de hadas** fairy tale
la	**cuerda** string
la	**cueva** cave
	cuidar to take care of
	cultivar to cultivate
la	**cumbre** summit
el	**cumpleaños** birthday
	cumplir to accomplish
el	**cuñado** brother-in-law
el	**cupón** coupon
el	**cura** priest
	curioso curious
la	**curva** curve
	¿cuánto vale? how much does it cost?

CH

la	**chaquetilla** little jacket
	charlar to chat
el	**charol** patent leather
la	**chimenea** chimney
el	**chistulari** flute player
	chocar to clash
el	**chorizo** sausage
la	**chuleta** cutlet

D

el	**daño** damage
	dar la puntilla to kill a bull with a small dagger
	de acuerdo in agreement
	de alquiler for rent
	de ocasión second-hand
	débil weak
la	**debilidad** weakness
	debilitar to debilitate
la	**decepción** disillusion
	decisivo decisive
la	**declaración** declaration
	decorado decorated
	dedicar to dedicate
	defender to defend
	deficiente deficient
	definir to define
	dejar to leave
el	**delito** misdemeanor
la	**demanda** demand
los	**demás** the others
	demasiado too much
la	**densidad** density
	dentro within
la	**denuncia** denunciation
la	**dependencia** dependency
	depender to depend
	derecho right
el	**derecho** law
el	**derivado** derivative
	derrocar to oust from
	derrotar to defeat
el	**derrumbe** collapse
la	**desamortización** disentailment
	desaparecer to disappear
	desarrollar to develop
el	**desastre** disaster
	desbordante overflowing
	descansar to rest
el	**descendiente** descendant
	desconfíarse to distrust oneself
el	**descontento** discontent
	descubrir to discover
	desear to desire
	desembarcar to disembark
	desembocar to flow out into
	desempeñar to discharge
el	**desfile** parade
el	**desinterés** indifference
	desnudo naked
el	**desorden** disorder
el	**despertador** alarm clock
	despiadado cruel
	desplazar to displace
la	**despoblación** depopulation
	destacar to stand out
	destinar to appoint
el	**destino** destiny
la	**destrucción** destruction
la	**desventaja** disadvantage
el	**deterioro** deterioration
	determinado determined
la	**deuda** debt
	devolver to return
el	**diario** diary
	dibujar to draw
el	**dibujo animado** cartoon
	diferente different
	difícil difficult
	difundido scattered
el/la	**diputado/a** representative
la	**dirección** direction
	directo direct
el	**director** film director
	dirigir to direct
el	**discurso** speech
el	**diseñador** designer
	disfrazado disguised
	disfrutar to enjoy
	disminuir to diminish
	distinguir to distinguish
	distinto different
	distorsionado distorted
la	**distracción** distraction
la	**diversión** diversion
	dividir to divide
el	**divorcio** divorce
	doblado folded
	doblar to fold
el	**documental** documentary
	dominar to dominate
	dorado covered with gold
el	**dormitorio** dormitory
el	**dramaturgo** dramatist
el	**duque** duke
	durar to last
la	**dureza** hardness
	duro hard

E

	económico/a economical
el	**edificio** building
el	**efecto** effect
	efectuar to effect
	eficaz effective
	ejecutar to execute
	ejecutivo executive
	ejemplar exemplary
el	**ejército** army
	elaborado elaborated
la	**elección** election

el **electrodoméstico** electric appliance
elegir to elect, to choose
elevado elevated
eliminar to eliminate
el **embutido** sausage
la **emisión** broadcast
emitir to broadcast
la **empanada** meat pie
empeorar to worsen
el **emperador** emperor
empezar to begin
empleado used
el **empleado** employee
emplear to use
emplumado feathered
la **empresa** enterprise
en cambio instead
en torno a round, about
la **enana** dwarf
el **encabezado** headline
encarcelado imprisoned
encargar to take charge of
el **encierro** confinement
la **encomienda** town under the command of a Spaniard
encomendar to commend
la **encuesta** inquiry
el **enemigo** enemy
la **enfermedad** illness
la **enfermera** nurse
enfrentarse to confront
engordar to fatten
el **enlace** link
enrejado grilled
enriquecer to enrich
la **ensaladilla** Russian salad
el **ensayo** essay
la **enseñanza** education
el **entierro** burial
la **entrada** entrance
entre between
entregar to hand over
enviar to send
envuelto wrapped
equilibrar to balance
el **equipo** team, equipment
la **equitación** horseback riding
equivalente equivalent
la **escalera** ladder, staircase
escaso little
el **escenógrafo** scenographer
el **esclavo** slave
el **escritor** writer
el **escudero** squire
el **escudo** shield
el **esencial** essential
la **esfuerzo** effort
el **esgrima** fencing
la **espacioso** space
la **espada** sword
el **esparcimiento** scattering
la **especia** spice
la **especie** type
el **espectáculo** spectacle
la **especulación** speculation
el **espejo** mirror
la **esperanza** hope
espléndido splendid
espontáneo spontaneous
la **esquina** corner
la **estabilización** stabilization
estable steady
establecer to establish
la **estación** station, season
estadounidense from the United States
estallar to explode
el **estanque** pond, dam
estimado desired
el **estímulo** stimulus, encouragement
el **estrecho** strait, channel
la **estrella** star
la **etiqueta** label
la **evaluación** evaluation
evidentemente evidently
evitar to avoid
la **evolución** evolution
exacto exact
exagerar to exaggerate
la **excelencia** excellence
excéntrico eccentric
excepto except
el **exceso** excess
la **excursión** excursion
la **exhibición** display
exigir to demand
exiliarse to exile oneself
existir to exist
el **éxito** success
la **expansión** expansion
explicar to explain
la **explotación** exploitation
expresar to express
expulsar to eject
extender to extend
extenso extensive
externo external
extraño rare
extraordinario extraordinary

F

la **fábrica** factory
la **fabricación** fabrication
fácil easy
la **facilidad** ease
la **faena** task
la **faja** sash
la **falda** skirt
faltar to miss
la **fama** fame
famoso famous
favorable favorable
favorecer to favor
la **fecha** date
la **felicidad** happiness
el **fenicio** Phoenician
la **feria** fair
férreo stern
fértil fertile
festivo festive
la **ficha** index card
la **fidelidad** fidelity
la **figura** person
la **fila** row
los **fines** conclusions
firmar to sign
fiscal fiscal
el **flamenco** Flemish
el **flan** baked custard
flexible flexible
flojo weak
floreciente flourishing
el **florecimiento** flourishing
la **flota** fleet
fomentar to promote
el **fondo** background
foral statutory
la **formación** formation
el **formal** kind of form
la **fortaleza** fortress
la **fortuna** fortune
el **fracaso** failure
la **fragmentación** fragmentation
frecuente frequent
freír to fry
frenar to stop
el **frente** front
la **frontera** border
el **frutero** fruit tree
el **fuego** fire
la **fuente** fountain
fuerte strong
la **fuerza** force
la **fuga** escape
fumar to smoke
la **función** function
el **funcionamiento** operation
el **funcionario** civil servant
fundado started
fundamental fundamental
funesto unfortunate
el **fusil** rifle
fusilar to shoot

G

la **gaita** bagpipe
el **gallego** Galician
la **galleta** cookie
el **gamba** prawn
la **ganadería** livestock
el **ganadero** rancher
el **ganador** winner
la **ganancia** gain
garantizar to guarantee
el **garbanzo** chickpea
el **gas** gas
la **gaseosa** mineral water
gélido icy
generar to generate
el **género** gender

generoso generous
el genovés Genoese
la germanía popular movement
gigante giant
el giro money order
el gitano gypsy
global global
gobernar to govern
el golpe (de estado) coup (d'etat)
golpear to hit
el grabado engraving
el grado degree
grave serious
griego Greek
el grifo faucet
grueso thick
el grueso majority
guapo handsome
el guatemalteco Guatemalan
el guerrero warrior
el guiso stew

H

el haba de soja soy bean
la habilidad ability
la habitación room
habitual habitual
hacer falta to be lacking
la halterofilia weight-lifting
hasta until, as far as
heredar to inherit
la herejía heresy
herir to injure
la hermandad sisterhood
el héroe hero
el hielo ice
el hierro iron
el hincha fan
la hogar home
la hoguera bonfire
el hombro shoulder
el homenaje homage
el honor honor
horario hourly
el horno oven
la hortaliza vegetable garden
el hortelano gardener
hospedar to lodge
la huelga labor strike
la huella mark
el huerta orchard
el hueso bone
huir to escape
húmedo humid

I

identificar to identify
la iglesia parroquial parish church
la igualdad equality
la ilustración illustration
ilustrar to illustrate
la imagen y el sonido image and sound
imaginar to imagine
impecable impeccable
impedir to prevent
implantar to implant
implicado implicated
la importancia importance
imposible impossible
impresionante impressive
improductivo non-productive
el impuesto tax
impulsar to impulse
la impunidad freedom from punishment
incipiente incipient
incitar to instigate
inclemente inclement
inclinado inclined
incluir to include
incontrolado uncontrolled
inconveniente inconvenient
incorporar to incorporate
independiente independent
indicar to indicate
el índice index
la indiferencia indifference
indígena native
la indignación indignation
el indio Indian
indispensable indispensable
indivisible indivisible
inestable unstable
inexistente non-existent
el infierno hell
la infinidad infinity
la influencia influence
influir to influence
informal informal
la informática data processing
infrahumano less than human
la ingeniería engineering
el ingenio talent
ingenioso clever
ingenuo candid
el ingrediente ingredient
ingresar to enter
el ingreso entrance
iniciar to start
la injerencia interference
inmenso immense
la inmobiliaria real estate office
inmortal immortal
innumerable innumerable
la inseguridad insecurity
insertar to insert
la insolidaridad lack of solidarity
insólito unusual
la inspección inspection
inspirado inspired
la instalación installation
instalar to install
instantáneo instant
la instauración restoration
la instrucción instruction
insumiso rebellious
insuperable insuperable
la insurrección rebellion
intenso intense
el intento intent
el interior interior
interno internal
el/la intérprete interpreter
intervenir to intervene
la interrupción interruption
intestino internal
la intriga intrigue
introducir to introduce
invadir to invade
el inventor inventor
invernar to hibernate
la inversión inversion
la investigación investigation
la invitación invitation
irreparable irreparable
el islote small barren island

J

el jabón soap
la jerarquización hierarchisation
la jornada laborable workday
la joya jewel
jubilado retired
judío Jewish
el juguete toy
junto together, near, at
jurar to swear
la justicia justice
juvenil juvenile
juzgar to judge

L

el ladrillo brick
el lago lake
la laicización secularization
lamentable lamentable
la lanza lance
lanzar to lance
el latifundio vast rural property
el lavadero lavatory
el lazo tie
leal loyal
legendario legendary
la legislación legislation
la legumbre legume
lejano distant
lejos far
el lema theme
lentamente slowly
la leña firewood
el levantador de piedras stone lifter
el levantamiento revolt
levantar to lift up
el Levante area near eastern coast of Spain
la ley law
la leyenda legend
la liberación liberation
liberarse to save oneself

la **libertad** freedom
libre free
el **licenciado** licentiate
el **líder** leader
ligero light
limitar to limit
limpiar to clean
lingüístico linguistic
el **lisonjero** flatterer
el **litoral** coast
el **local** place
la **localidad** location
lograr to gain
el **lomo** back
la **longitud** longitude
luchar to fight
el **lugar** place
el **lujo** luxury
el **luto** mourning

LL

la **llama** flame
llamado so-called
la **llanura** plain
la **llave** key
lleno full
llevar to take
llevar a cabo to carry out
llover to rain
la **lluvia** rain

M

la **madera** wood
maderera wood
el **madrileño** native of Madrid
el **madroño** strawberry tree
la **madrugada** dawn
majestuoso majestic
la **maleta** handbag
mandar to command
el **mando** authority
la **manera** manner
la **manga** sleeve
la **manifestación** manifestation
manifestar to manifest
la **maniobrabilidad** maneuverability
la **manteca** lard
mantener to support
la **mantequilla** butter
la **marca** mark
el **marcador fluorescente** highlighter
la **marcha** march
marcharse to leave
el **margen** margin
el **marido** husband
el **marino** sailor
Marruecos Morocco
la **masa** dough
la **masa de harina** flour dough
la **máscara** mask
masivo massive
matar to kill
la **materia** subject
las **materias primas** raw materials
el **matrimonio** marriage
los **mayores** elderly
la **mayoría** majority
el **mazapán** marzipan
mediana medium
medieval medieval
medir to measure
mejorar to improve
el **melocotón** peach
la **memoria** memory
mencionar to mention
el **mendigo** beggar
la **menina** young lady-in-waiting
el **mercader** merchant
el **mercadillo** flea market
merecer to deserve
meridional southern
la **merluza** cod
la **mesilla** window sill
la **mesita** small table
el **mestizo** hybrid
la **meta** goal
mezclar to mix
la **mezquita** mosque
el **miedo** fear
la **miel** honey
el **miembro** member
mientras while
la **minería** mining
la **minoría** minority
minúsculo minuscule
la **misa del gallo** midnight mass
la **miscelánea** mixture
miserable miserable
la **miseria** misery
la **misión** mission
la **mita** tax paid by Indians
la **mitad** half
el **mito** myth
mixto mixed
la **modestia** modesty
modificado modified
mojar to wet
el **molino** mill
el **monasterio** monastery
el **monocultivo** monoculture
el **monosabio** bullfighter's assistant
el **monte** mount
monumental monumental
morcilla blood sausage
moreno dark brown
morir to die
morisco Moorish
la **mortalidad** mortality
mostrar to show
el **motín** mutiny
el **motivo** motive
el **movimiento** movement
el **mudo** mute
los **muebles** furniture
la **muerte** death
el **muerto** dead body
la **muestra** sample
la **muleta** bullfighter's red flag
la **mulilla** small mule
mundial universal
municipal municipal
el **mural** mural
la **muralla** wall
el **muro** wall
el **músico** musician

N

nacer to be born
el **nacimiento** birth
nacionalizar nationalize
nadar to swim
el **naranjo** orange tree
el **narcotráfico** drug trafficking
la **narración** narration
el **narrativo** narrative
la **natación** swimming
la **natalidad** birth rate
la **naturaleza** nature
naval naval
el **navegante** navigator
navideño Christmas
la **necesidad** necessity
necesitar to necessitate
los **negocios** business
el **nieto** grandson
el **noble** noble
la **nobleza** nobility
nórdico Nordic
la **noria** waterwheel
notable notable
notarse to notice
las **noticias** news
la **novedad** novelty
la **novela** novel
la **novia** bride

O

obediente obedient
el **obispo** bishop
el **objeto** object
el **objetor de consciencia** conscientious objector
la **obligación** obligation
obligar to obligate
la **obra** work
la **obra maestra** masterpiece
el **obrero** worker
el **obsesionado** obsessed
el **obstáculo** obstacle
obtener to obtain
occidental occidental
el **ocio** leisure
ocupar to occupy
odioso hateful
ofrecer to offer
la **ojiva** pointed arch
el **olivar** olive grove
el **olivo** olive tree
el **olmo** elm tree

ominoso ominous
opcional optional
la **opinión** opinion
la **oportunidad** opportunity
la **oposición** opposition
oralmente orally
el **orden** order
la **orientación** orientation
orientarse to get oriented
el **origen** origin
la **orilla** edge
el **oro** gold
oscuro dark
el **oso** bear
la **oveja** sheep

P

pacificar to pacify
el **paisaje** countryside
la **pala** shovel
palaciego palace
el **palacio** palace
paliar to excuse
el **papa** pope
el **papel** paper
el **papelero** paper maker
parecer to appear
parecido similar
la **pared** wall
la **pareja** couple
el **paro** unemployment
el **paroxismo** paroxysm
participar to participate
particular individual
partida split
el **partidario** follower
el **partido** party
pasar to pass
el **paseíllo** procession of bullfighters
el **paseo** walk
la **pasión** passion
la **pasividad** passiveness
el **paso** group of procession sculptures
la **pasta** pasta
pastar to graze
el **pastel** cake
el **pasto** pasture
el **pastor** shepherd
la **patata** potato
el **patinaje** skating
la **patria** native land
el **patrimonio** patrimony
el/la **patriota** patriot
el **patrón** patron saint
la **patrona** patron saint
pauperizado impoverished
la **paz** peace
peatonal pedestrian
pedir to ask
peladas peeled
la **película** film
peligroso dangerous
la **penalidad** hardship
la **península** peninsula
la **penuria** poverty
el **peón** worker
pera pear
perder to lose
la **peregrinación** pilgrimage
la **perfección** perfection
el **pergamino** parchment
el **periférico** suburb
el **periódico** newspaper
el **periodista** journalist
el **periodo** period
perjudicado damaged
permanecer to remain
permitir to allow
perseguir to pursue, to persecute
la **persiana** blind
la **persistencia** persistence
el **personaje** important person
persuadir to persuade
pertenecer to belong
la **pesa** weight
pesar to weigh
la **pesca** fishing
el **pescado** fish
la **pica** goad
picado minced
picaresco roguish
la **piedra** stone
la **pierna** let
la **píldora** pill
el **pimiento** pepper
el **pintor** painter
la **pintura rupestre** cave paintings
el **piragüismo** canoeing
el **piropo** flirtatious remark
el **piso** floor
la **pista de esquí** ski slope
la **pista de squash** squash court
la **plancha** plate
la **planificación** planning
plano flat
el **plano** map, plan
la **planta** floor
plasmar to shape
la **plata** silver
el **plátano** banana
el **platero** silversmith
pleno full
el **plomo** lead
la **población activa** working population
el **poblador** inhabitant
la **pobreza** poverty
poder to be able to
poderoso powerful
el **polaco** Pole
la **polución** pollution
el **polvorón** cake
poner(se) to put (on)
ponerse de acuerdo to agree
populoso populous
el **porche** arcade
el **portal** hall
el **portero** caretaker
el **pórtico** portico
la **posguerra** postwar period
la **posibilidad** possibility
posible possible
la **posición** position
el **postre** dessert
la **potencia** power
potente powerful
practicar to practice
el **prado** meadow
la **precariedad** precariousness
precioso precious
predominar to dominate
la **preferencia** preference
el **premio** prize
la **prensa** press
preocupar to worry
la **presión** pressure
el **preso** prisoner
prestigioso worthy
presunto presumed
pretender to try to
el **pretendiente** candidate
el **primer plano** foreground
el **primo** cousin
primorosamente delicately
la **princesa** princess
el **principado** principality
principal principal
el **príncipe** prince
prioritario main
la **prisa** hurry, haste
el **prisionero** prisoner
el **privilegio** privilege
probar to try
proceder to come from
la **procesión** procession
proclamar to proclaim
la **producción** production
la **proeza** feat
profundo deep
el **progreso** progress
prohibir to prohibit
la **promesa** promise
promulgar to proclaim
pronto quickly
el **pronunciamiento** revolt
la **propiedad** property
el **propietario** owner
propio own
proporcionar to give
prosperar to prosper
protectora protective
proteger to protect
el **proveedor** supplier
provenir to come from
provocar to lead to
proyectar to project, to show
la **prueba** test, exam
publicar to publish

el **pueblo** town, village, people
el **puente** long weekend, bridge
la **puerta** gateway
el **puerto** seaport, harbor
el **puertorriqueño** Puerto Rican
puesto placed
el **pulmón** lung
el **puntillero** bullfighter who finishes off the bull
el **puñado** handful

Q

quebrada broken
quedar to remain, to become, to look good
quemar to burn
las **quinielas** betting pools
quitarse to take off, to remove

R

la **ración** portion
el **racionamiento** rationing
la **raíz** deep-rooted
raro rare, odd
el **rascacielos** skyscraper
el **rasgo** feature
real royal
la **realidad** reality
realizar to carry out
rechazar to repel, to reflect (light)
recibir to receive
recién recently, just
el **recipiente** vessel, pan
reclamar to claim, to demand
recoger to gather
la **recompensa** reward
la **reconquista** reconquest
reconstruir to reconstruct
la **reconversión** reconversion, retraining
recopilar to compile
recordar to recall, to commemorate
recorrer to travel through
rectangular rectangular
rectificar to correct
recto straight
el **recuerdo** memory, souvenir
recurrir to resort to
el **recurso** resource
redactar to write, to draw up
redondo round
reflejar to reflect
refrescante refreshing
el **refresco** soft drink
refugiarse to take refuge
la **regla** rule
regular regular
regularmente regularly
la **reina** queen
el **reinado** reign
el **reino** kingdom
la **reivindicación** claim
reivindicar to claim, to restore
relacionar to connect, to relate
relegar to relegate
rellenar to fill in/out
rematar to finish off, to put out of misery
remontarse to go back to
el **Renacimiento** Renaissance
rendirse to surrender
la **renta** income
repetir to repeat
la **represalia** reprisal, retaliation
la **representación** representation, performance
representar to represent, to perform
la **represión** suppression
la **reproducción** reproduction
la **repuesta** answer
el **rescate** recovery
la **resistencia** resistance
resolver to resolve
respectivamente respectively
respectivo respective
la **respetabilidad** respectability
responsable responsible
la **restauración** restoration
el **resto** remnants
retirar to retire, to withdraw
la **retransmisión** broadcast
retratar to paint a portrait
el **retrato** portrait
el **retrete** lavatory, toilet
la **reunión** meeting
reunirse to gather
la **revista** magazine
el **rey** king
los **reyes magos** Wise Men
la **ría** estuary
el **riego** irrigation
rígido rigid
la **riqueza** wealth
el **rival** rival
rodeado surrounded
el **romance** narrative poem with eight-syllable verses
el **romancero** collection of poems
románico romanesque
la **romería** pilgrimage, festival at a local shrine
la **ropa** clothing
el **ropaje** costume
el **ruedo** bullfighting ring
el **ruido** noise, sound
rupestre cave
la **ruptura** break, breaking off
rural rural
ruso Russian
la **ruta** route

S

la **sábana** sheet
el **sabor** flavor
sacar to extract, to buy, to serve
sacar adelante to bring up general living standards
sacrificar to sacrifice
sagrado sacred
salado salted
el **salario** salary
saltear to saute
la **salud** health
saludar to greet
salvar to save
sanear to stabilize
la **sangre** blood
el **saque** serve
la **sartén** frying pan
satisfacer to satisfy
satisfecho satisfied
la **secuela** result
la **seda** silk
la **sede** seat
la **sedición** rebellion
seguir to continue, to follow, to take (a course)
según according to
la **seguridad** security
seguro sure
la **selva** forest, jungle
semanal weekly
sembrar to plant
sencillo simple, single
el **sentido** feeling, sense
sentir to feel
señalar to indicate
la **serenidad** serenity
serio serious
la **serpiente** serpent
servir to function
la **sidra** hard cider
la **sierra** mountain range
el **siglo** century
la **silla** chair
similar similar
la **simplicidad** simplicity
el **sindicato** union
singular unique
el **sitio** room, space, place
la **situación** situation
situado located
la **soberanía** sovereignty
el **soberano** sovereign
la **sobremesa** conversation after dinner
el **sobrenombre** nickname
sobrevivir to survive
el **sobrino** nephew
la **sociedad** society
el **soldado** soldier
soler to tend to
la **solicitud** application
sólido solid
sólo only
solucionar to solve
la **sombra** shadow
el **sombrero** hat
el **sonido** sound
soñado dream

soportar to support
sor Sister
la **sorpresa** surprise
sortear to avoid
el **sorteo** drawing, raffle
sospechoso suspicious
sostener to support
suave mild
el **subdesarrollo** underdevelopment
subir to increase
sublevar to incite
subtitulado subtitled
el **suburbio** suburb
subvencionado subsidized
suceder to succeed
la **sucesión** succession
sueco Swedish
el **suelo** floor
el **sueño** dream
la **suerte** luck
el **sufragio** suffrage
sufrir suffer
la **Suiza** Switzerland
sumergido submerged
el **sumo sacerdote** high priest
suntuoso sumptuous
la **superficie** area
la **superioridad** superiority
suprimir to suppress
surgir to arise
el **surtidor** water jet, fountain
sustituir substitute

T

el **tacón** (high) heel
la **talla** size, stature
el **tamaño** size
el **tambor** drum
el **tamboril** small drum
tampoco neither
tardar to take a long time, to delay
el **tejado** roof
el **tema** subject
temer to fear
temible fearsome, fearful
la **temporada** season
temprano early
tender to tend to
terminar to finish
el **terreno** land
terrible terrible
el **territorio** territory
la **tertulia** group meeting regularly to talk
el **testimonio** evidence
la **tía** aunt, woman
tierno tender
el **tío** uncle, man
el **tiovivo** carousel
la **tirada** circulation
tirar to throw out
el **tiro** target shooting
tocar to play (music), to touch
el **tocino** bacon
todavía still, yet
la **tolerancia** tolerance
tomar to eat, to drink, to take
el **torero** bullfighter
el **toril** bullpen
la **tortilla** omelet, flat cake of corn or flour
la **torre** tower
la **tostada** toast
el **trabajador** worker
traer to bring
la **trainera** trawler
el **traje** costume, suit
tranquilo calm
transformar to transform
la **transición** transition
transmitir to broadcast, to transmit
el **trapo** piece of cloth
tras behind, after
trasladarse to move
el **trastero** storage room
trastornado disturbed
el **tratado** treaty
tratar to deal with, to discuss, to try
el **trato** treatment
la **tribu** tribe
el **tricornio** three-cornered hat
el **trigo** wheat
el **triunfo** triumph
el **trono** throne
las **tropas** troops
el **trozo** piece
la **tumba** tomb

U

ubicarse to be located
único unique
la **unidad** unity
unido united
unir to unite
untar to spread
el **uso** use
la **uva** grape

V

la **vaca** cow
vale O.K.
el **válido** court favorite
el **valor** bravery
el **vaquero** cowboy
la **vaquilla** young cow
variado varied
la **variedad** variety
vario various
vasco Basque
el **vascuence** Basque
el **vaso** glass
vasto vast
el **vecino** neighbor
la **vegetación** vegetation
la **velocidad** velocity
vencer to conquer
la **vendimia** grape harvest
la **ventaja** advantage
el **ventanal** large window
la **ventanilla** window
el **veraneo** summer vacation
verdadero true
la **vergüenza** shame
la **víctima** victim
la **victoria** victory
la **vid** vine
la **vida laboral** working life
la **vidriera de colores** stained glass window
el **vidrio** glass
vigilar to watch, to protect
vigoroso vigorous
el **vino tinto** red wine
el **viñedo** vineyard
la **violación** violation
la **violencia** violence
el **virreinato** viceroyalty
el **virrey** viceroy
vistoso flashy
vital vital
el **viudo** widower
la **vivienda** housing
vivo bright
vizcaíno Basque, from the province of Vizcaya
volver to return
la **vuelta** turn, return

Z

el **zapateado** stamping, tapping